Penvanoglu, Pete.

Die Grabsteine der alten Griechen

Penvanoglu, Peter

Die Grabsteine der alten Griechen

Inktank publishing, 2018

www.inktank-publishing.com

ISBN/EAN: 9783750110199

DIE GRABSTEINE

DER ALTEN GRIECHEN

NACH DEN

IN ATHEN ERHALTENEN RESTEN DERSELBEN

BESONDERS UNTERSUCHT

VON

DR. PETER PERVANOGLU,

PRIVATDOCENT DER ARCHÄOLOGIE A. D. UNIVERSITÄT ATHEN.

Motto: „ Sichtlich waltet auch ein eigenes Geschick
über die alten Gräber: die Mitgift der Todten sollte
erst ihre volle Bestimmung erreichen, indem sie als
eine Verlassenschaft derselben auf die Nachwelt kam
und dieser die Fähigkeit lieh, mit Sehergeist die um-
dunkelte Vergangenheit zu lichten, wie die Vorwelt
die Zukunft gelichtet.
(Stackelberg, Gräber, p. 24.)

MIT DREI LITHOGRAPHIRTEN TAFELN.

LEIPZIG,

VERLAG VON WILHELM ENGELMANN.

1863.

HERRN

PROFESSOR DR. HEINRICH BRUNN

IN DANKBARER ERINNERUNG

AN BONN UND ROM

ZUGEEIGNET.

VORWORT.

Athen, das gelobte Land eines jeden Alterthums-
forschers, die Stadt, welche auch nur flüchtig zu
besuchen der heisseste Wunsch eines Jeden ist,
der sich mit dem griechischen Alterthume beschäftigt, bietet zwar an Resten alter Kunst eine
solche Fülle und Mannichfaltigkeit, dass auch die
verwöhntesten, glücklichen Bewohner Roms und
Neapels vollständig befriedigt werden: aber eben
diese Reste, die Überbleibsel einer glücklichen
Vorzeit, liegen zerstreut in einer solchen Unord-
nung, dass das eigentliche Geniessen derselben,
das tiefere Eingehen in deren Sinn, Jedem gänzlich verleidet wird. Schwerlich wird sich der
glückliche Bewohner einer europäischen Stadt, an
die geregelten und wissenschaftlich geordneten Museen Europa's gewöhnt, einen Begriff von dem Zu-

stande der hier zu Lande erhaltenen alten Kunst-
werke machen, wenn er nicht mit eigenen Augen die
Sache selbst gesehen. Er wird zwar dann bemerken,
dass die meisten dieser Reste einst mit Nummern versehen waren; diese sind aber jetzt grösstentheils verwischt und nur durch mühsames Nachzählen kann
man oft die früher darauf angebrachten Nummern
errathen. Was helfen aber auch diese Nummern,
welche ja nur zum Scheine darauf gelegt sind, da sie
uns doch nicht auf irgend ein Verzeichniss dieser
Alterthümer verweisen? Man wird mir zwar einwen-
den, und mit vollem Rechte, dass es die eigene Schuld
der da lebenden Gelehrten ist, wenn noch kein Katalog hiervon existirt, zumal da Jeder, der sich mit
solchen Studien beschäftigt, gezwungen ist, gleich
am Anfange für seinen eigenen Gebrauch sich einen
solchen Katalog anzulegen: wenn man aber bedenkt,
dass die Haupterfordernisse eines brauchbaren Kata-
logs nicht nur eine genaue Beschreibung der uns vor
Augen tretenden Alterthümer sind, sondern unter
Anderem besonders die genaue Angabe des jedes-
maligen Fundortes, und dass, wie die Verhältnisse
nun einmal sind, eine solche Arbeit für jetzt we-
nigstens, wenn nicht vielleicht für immer, un-
möglich ist, so wird man, glaube ich, leicht die

hiesigen Gelehrten von dem Vorwurfe der Nachlässigkeit freisprechen.

Diese und ähnliche Schwierigkeiten, welche
in gar keiner Beziehung zur Wissenschaft stehen,
treten Jedem, der sich hier mit solchen Resten des
Alterthums beschäftigt, sogleich hemmend in den
Weg und zwingen manchmal auch denjenigen,
der den grössten Eifer und besten Willen hat, zu
einer langweiligen Unthätigkeit; und wenn sich
auch einmal Einer gefunden hat, welcher durch
ausserordentliche Anstrengungen und den festesten
Willen unter fortdauernder Bekämpfung solcher
Schwierigkeiten etwas Ordentliches zu Stande gebracht hat, so sehen wir ihn nach vollendeter Arbeit erschöpft die Feder wegwerfen mit dem festen
Vorsatze, sie nie wieder zu archäologischen Untersuchungen aufzuheben. Deshalb wird man mich
gewiss nicht allzustreng richten wollen, wenn sich
in der folgenden Untersuchung gegen meinen
Willen einige Unrichtigkeiten eingeschlichen haben, sondern, ebenso wie ich, geduldig eine Zeit
erwarten, in welcher hoffentlich die hiesigen Gelehrten etwas Besseres für die Wissenschaft werden
leisten können.

So seien nun die folgenden wenigen Unter-

suchungen der Öffentlichkeit übergeben, durch welche, wenn auch nicht wesentlich Neues für die
Wissenschaft gewonnen, doch in den hier erhaltenen Resten die Richtigkeit der meisten von Friedländer in seiner gründlichen Abhandlung *De operibus
anaglyphis in monumentis sepulcralibus graecis. Regiom.
Bor.* 1847. 8ᵛᵃ aufgestellten Resultate, zur Genüge
bestätigt wird,

Einleitung.

Dem Wanderer, der zum ersten Male den attischen Boden
betritt, um an den erhaltenen Resten die Herrlichkeit des
Alterthums zu studiren, fällt gleich auf den ersten Blick die
Fülle und Mannichfaltigkeit von Grabsteinen auf, welche,
bei jeder zufälligen oder planmässigen Ausgrabung zu Tage
befördert, nicht allein den grössten Schatz von Sculptur-
resten der verschiedenen öffentlichen Sammlungen aus-
machen, sondern auch fast jedes Privathaus schmücken, und
auf diese Weise das alte Athen mit dem neuen in unmittel-
bare Verbindung bringen. Fast bei jedem Schritte stösst
man auf solche Reste des Alterthums, welche, verschieden
nach Inhalt und Form bis herab zur schmucklosen Grabsäule, dem jetzigen Geschlechte die Ehrfurcht bekunden,
welche seine Vorfahren ihren Todten zollten. Wenn wir
nun beim Anschauen dieser Reste, der einzigen Ueberbleibsel
sowohl derjenigen, welchen diese Denkmäler gesetzt worden
sind, als auch derjenigen, welche sie gesetzt haben, weh-
müthig gestimmt werden, so können wir doch nicht umhin,
dieser rührenden Sitte unsere dankbare Bewunderung zu
zollen, indem wir durch diese Ueberreste in den Stand gesetzt werden, tief in das Leben der alten Griechen zu blicken
und manche nützliche Sitte von ihnen zu lernen. Wir

werden in ihnen die beredte tiefe Symbolik ihrer Darstel-
lungen zu bewundern haben, wir werden erkennen, wie die
Alten verstanden haben, selbst in ihren kleinsten Werken
durch ihre Einfachheit so Vieles zu erreichen, und das Volk
bewundern, welches, nicht in der Grösse und Pracht, sondern in der Einfachheit das Schöne suchend, den späteren
Geschlechtern den wahren Weg zum Schönen und Erhabe-
nen gebahnt hat. Wir werden auf solchen Monumenten
Darstellungen finden, die alle dem täglichen Leben entlehnt
sind: hier einen Familienvater im Begriff, Abschied zu nehmen von seiner ihn trauernd umgebenden Familie, dort eine
noch junge Mutter, welche ihr eben geborenes Kind trauernd
einer Amme übergiebt; wieder hier einen Krieger, der Abschied nimmt von seinen Waffengenossen, während wir dort
einen im Meere Ertrinkenden erkennen, der mit der letzten
Anstrengung noch gegen die Wellen ankämpft.

Indem wir uns anschicken, diese Ueberreste genauer
zu betrachten, können wir nicht umhin, einen Blick auf die
Art und Weise, wie die alten Griechen ihre Todten behan-
delten, zu werfen. Da finden wir denn zuerst die Sitte des
Verbrennens der Leichname schon in den frühesten, fast
könnte man sagen mythischen Zeiten von Dichtern und
sonst öfters als im gewöhnlichen Gebrauche angeführt. Oef-
ters wird uns mit lebhaften Farben diese feierliche Handlung
beschrieben, welche wir nach Angaben alter Schriftsteller
und besonders nach deutlich noch erhaltenen Spuren[1]) die-

---

1) So wurden z. B. unter den vielen im Frühjahre des Jahres 1861
in der Umgegend des Peireäus auf Kosten der hiesigen archäologischen
Gesellschaft eröffneten Gräbern mehr als ein Drittel mit verkohlten
Knochen und Vasenscherben gefunden, welche meistens auf dem Deckel
eines anderen Grabes in dem losen Erdreiche zerstreut waren. Ueber-
dies wurde uns noch erzählt, dass in Gräbern, besonders aus der Umgegend von Theben, unter den verkohlten Knochen und Vasenscherben

ser Sitte bis herab auf die spätesten Zeiten verfolgen können. Aber auch das Beerdigen scheint ebenso alt gewesen zu sein, da in alten Schriften öfters diese Sitte angeführt wird; ja in späteren Zeiten scheint sie sogar die vorherrschende geworden zu sein, da vom feinen Gefühle der Griechen das Beerdigen der rohen Sitte des Verbrennens der Leichname vorgezogen wurde. Dieses wird sowohl durch die alten Schriftsteller, wie durch die unendliche Zahl der bis jetzt gefundenen und täglich sich findenden Gräber bewiesen. Wenn nun diesen gegenüber die Zahl der uns erhaltenen Grabsteine, so gross diese an sich sein mag, gering erscheint, so lässt sich dies vollkommen daraus erklären, dass sehr viele Grabsteine in die Kalköfen gewandert sind, während die einmal eröffneten und geplünderten Gräber keinen Werth mehr hatten für die früheren rohen Bewohner dieses Landes. Würdig der alten Griechen ist überhaupt die Sorge, die sie für ihre Todten hatten, indem die Bestattung der Todten ihnen für eine der ersten und heiligsten Pflichten galt. Daher sehen wir nach beendigter Schlacht die Feldherren sich dieser Pflicht unterziehen und harte Strafen denjenigen treffen, der diese Pflicht der Nächstenliebe zu erfüllen versäumte; ja selbst für diejenigen, deren Leichname nicht aufgefunden werden konnten, sehen wir sie Kenotaphien errichten. Zu dieser Sorge für die Todten rechnen wir ferner die Sitte, nicht nur die Grabstelle selbst mit Tänien und Blumen zu schmücken, sondern auch die Gräber mit förmlichen Gartenanlagen zu umgeben, und die strenge Sorgfalt, mit welcher die Gräber vor Entweihung geschützt wurden, eine Sitte, welche sowohl durch einige Stellen aus alten

auch verkohlte Feigen und andere Früchte gefunden worden seien, was uns lebhaft an die von Lucian *De luctu*, c. 14. und sonst angeführte Sitte der Alten erinnerte, Mahlzeiten mit dem Leichname zu verbrennen.

. 1 *

Schriftstellern als auch besonders durch viele und mannich-
faltige uns erhaltene Inschriften, die das verhüten sollten,
bezeugt wird[1]). (Stephani, *Tituli graeci*, IV. p. 11. ff.)

Indem wir uns nun jetzt anschicken, das Wesentlichste
über Grabanlagen und Form der Gräber Attika's vorauszu-
schicken, müssen wir die von Ross in seinen archäologischen
Aufsätzen gedruckten Bemerkungen, welche sich auf viel-
jährige genaue Forschungen basiren, als die Grundlage jeder
weiteren Forschung in diesem Gebiete hinstellen, zu welchen sich nur nach längerem Aufenthalte hier zu Lande und
nur durch fleissige Untersuchungen etwas Wesentliches wird
hinzufügen lassen.

Attika, das Land, welches verhältnissmässig am dich-
testen bevölkert war, ist auch natürlicher Weise reicher an
Gräbern als alle anderen Länder Griechenlands. Daher sind
auch schon seit alter Zeit, aber ganz besonders seit Anfang
dieses Jahrhunderts sehr viele Gräber in den verschiedensten Gegenden Attika's geöffnet worden, von denen manche

---

1) Ausser den vielen und mannichfaltigen Inschriften, welche dazu
dienten, finden wir auch manchmal auf Grabsteinen in Relief Hände
dargestellt mit der inneren Fläche nach aussen, welche nach Stephani
a. a. O. und Jahn, Über den Aberglauben des bösen Blickes, p. 53. ff.
dazu dienten, den Grabstein vor dem bösen Blick zu schützen. — Folgende Beispiele davon aus den verschiedenen öffentlichen Museen Athens
habe ich mir notirt:

1. Hadr. Stoa. 3126. Auf einer Grabstele zwei Hände. (Stephani,
p. 12. Nr. 1.)
2. Arch. Ges. Auf einer gewöhnlichen, kleinen Grabsäule, welche
westlich neben dem königlichen Palais gefunden wurde, sehen
wir folgende Inschrift aus später Zeit: Ἀγαϑο(κλῆς) Μυλήσιος;
darunter zwei Hände.

Man vergleiche darüber noch Paciaudi, *Diatribe, quo graeci ana-
glyphi etc.* (1751.); Friedländer, *De operibus anaglyphis*, p. 32. und Back-
hofen in einer eigenen Abhandlung: *Sul significato dei dadi e delle mani
sui sepolcri degli antichi (Annali dell' Inst.*, 1858.), welche letztere Schrift
ich aber leider nicht habe einsehen können.

ihre Finder durch eine reiche Ausbeute belohnten. So haben seit dem Anfange dieses Jahrhunderts Gropius, Fauvel und Andere (siehe Jahn, Catalog der Münchner Vasensammlung, Einleitung XXI.) öfters Gräber an verschiedenen Stellen Attika's geöffnet; über die nach den dreissiger Jahren gemachten Funde haben wir die fleissigen Berichte von Ross; und auch in den letzten Jahrzehnten wurde ausser den zufälligen, vereinzelten Gräberfunden, die häufig gemacht wurden, im Jahre 1854 von den französischen Occupationstruppen eine Anzahl Gräber aus der Umgegend des Peiräeus geöffnet und Alles, was man fand, nach Frankreich geschleppt, sowie endlich im Frühjahre 1861 die hiesige archäologische Gesellschaft in der Umgegend des Peiräeus während einer Ausgrabung, die ziemlich einen Monat dauerte, nicht weniger als gegen achtzig Gräber öffnete (siehe meinen Bericht darüber in Gerhard's Archäolog. Anzeiger, 1861. p. 195. ff.). Die Lage der meisten Demen Attika's wird nur durch die reichlich gefundenen Gräber sicher bestimmt und besonders bieten die verschiedenen Hügel, welche die Stadt Athen umgeben, noch heut zu Tage den reichsten Schatz alter Gräber dar, deren Zahl jetzt schon in die Tausende geht, und allem Anscheine nach durch die Zahl der noch uneröffneten ins Unendliche sich steigern wird. Was nun die Plätze betrifft, wo die Alten ihre Todten zu begraben pflegten, so wissen wir sowohl aus den alten Schriftstellern als auch besonders durch die bis jetzt gefundenen Gräber, dass es in der Blüthezeit Athens auf das Strengste untersagt war, innerhalb der Stadtmauern die Todten zu boerdigen und dass man erst in späterer Zeit, als die Bevölkerung Athens sich zu lichten begann, anfing, von der strengen Befolgung dieses Gesetzes nachzulassen, bis man in der byzantinischen Zeit selbst das Allerheiligste der Stadt, die Akropolis, durch Gräber entweihte.

Wir finden also die meisten Gräber dicht ausserhalb der Stadtmauer und können deshalb besonders durch Gräberfunde die noch unsichere Richtung und Ausdehnung derselben am leichtesten bestimmen. Ferner pflegte man auf beiden Seiten von Heerstrassen und öffentlichen Wegen die Todten zu begraben [1]), und besonders scheint die Gegend ausserhalb der Hauptthore der Stadt ein sehr geschätzter Begräbnissplatz gewesen zu sein. Dieses beweisen sowohl öfter gemachte Gräberfunde, als auch die unlängst neben dem Dipylon an der nach Eleusis führenden heiligen Strasse gefundenen Gräber und Grabreliefs aus der Blüthezeit griechischer Kunst (*Bull. dell' Inst. Archeol.*, 1861. p. 140. ff.). Ausserdem finden wir eine grosse Anzahl von Gräbern an den steinigen Betten der verschiedenen Flüsse und Bäche des Landes, an den Abhängen der die Stadt umgebenden Hügel, und sonst auf den rings um die Stadt gelegenen steinigen brachen Aeckern (ausführlicher Ross a. a. O., p. 12. ff.). Die nördlich von der jetzigen Stadt Peiräeus gelegenen Grabanlagen beschenkten uns besonders bis jetzt mit den reichsten Schätzen der verschiedensten Grabsteine, obwohl bei der unlängst auf Kosten der hiesigen archäologischen Gesellschaft dort veranstalteten Ausgrabung nur Unbedeutendes gefunden worden ist.

Was nun endlich die Form der bis jetzt in Attika gefundenen Gräber anlangt, so sind als die allerälteste die *tumuli* anzuführen, einfache Aufschüttungen von Erdreich in Form kleiner spitzer Hügel, worin gewöhnlich die Grabkammer sich befindet. Sie werden uns schon aus der homeri-

---

1) Selbst auf sehr alten Grabinschriften finden wir den Ort angegeben, wo der Grabstein gesetzt wurde, so z. B. die von Boeckh, *C. insc. gr.* Nr. 22., von Pittakis in *Ephem.*, Nr. 101. und Rangabé, *Antiq. hell.*, I. Nr. 7. angeführte Inschrift:

Ἀρχένεος τόδε σῆμα ἕστησ' ἐγγὺς ὁδῷ Ἀγαθοκλῆ.

schen Zeit als gebräuchlich angeführt und reichen herunter
bis in ziemlich späte Zeit (Jul. Braun, Geschichte der alten
Kunst, II. p. 103. ff.). Ziemlich viele Beispiele davon sind
noch besonders in der Mesogäa Attika's zu treffen, wo manche noch uneröffnet scheinen, und wo auch die herrliche
Aristion-Stele und andere Ueberreste alter Kunst gefunden
worden sind. Nach diesen erwähnen wir die viereckigen
Thürme, meistens Polyandria, aus rechtwinkeligen Quadern
aufgebaut, wovon deutliche Spuren in verschiedenen Gegenden Attika's noch zu treffen sind [1]), sowie auch die an den
Fuss niedriger Hügel angelehnten, auf den übrigen drei
Seiten gemauerten überirdischen Gräber. Daran reihen sich
die in senkrecht gehauene Felswände über der Erde eingemeisselten Felsgräber, welche uns lebhaft an ähnliche
Grabanlagen Kleinasiens erinnern, obwohl die in Griechenland nicht so grossartig angelegt und arckitektonisch geschmückt sind wie jene (Jul. Braun a. a. O., II. p. 109. ff.
u. I. p. 521.). Die bedeutendsten Reste dieser Gattung, welche in Attika sich noch vorfinden, sind die sogenannten Ki-
monischen Gräber an dem Südabhange des Museionhügels
und eines an der Einsattelung zwischen dem Museion- und
Nymphenhügel. Unter den unterirdischen Gräbern nehmen
den ersten Platz ein die in den Felsen eingemeisselten θῆκαι
von verschiedener Grösse und Form, mit denen besonders
die westlichen Abhänge des Nymphen- und Museionhügels
wie übersät sind; wenn aber Leichen im losen Erdreiche

---

1) Wenn aber Professor Ross in seiner Peloponnesischen Reise, I.
p. 142. ff. und Arch. Aufs., p. 18. Note, und nach ihm andere Gelehrte
auch die bekannten Reste der sogenannten Pyramide bei Kenchreae zu
solchen Grabanlagen rechnen will, so müssen wir uns entschieden gegen
diese Ansicht erklären, da sowohl die erhaltenen Ueberreste davon, als
auch ihre Lage auf einem Hügel, welcher eine grosse Heerstrasse be-
herrscht, sie viel eher als Reste eines Wachtthurmes bezeichnen. Vgl.
E. Curtius, Peloponn. 2. S. 365., Noten S. 564. 19.

begraben werden sollten, so wurden sie in Sarkophage gelegt, welche entweder monolith sind und zum Theil aus Marmor, zum Theil aus Tuffstein bestehen, oder häufiger aus verschiedenen Platten von Marmor oder Tuffstein [1]), oder am gewöhnlichsten von gebrannter Erde zusammengesetzt sind, mannichfaltig an Grösse und Form [2]). Die ärmeren Classen begruben ihre Todten in hölzernen Särgen, wovon sich noch manche Bruchstücke vorfanden [3]). Von Sarkophagen mit Relief-Darstellungen oder einfachen Verzierungen sind nur wenige Beispiele und zwar alle aus römischer Zeit hier gefunden worden. Endlich seien auch hier die meist runden, doch auch zuweilen viereckigen Gefässe aus Marmor, gebrannter Erde, auch oft Metall und zwar gewöhnlich Blei

---

1) Im Sommer des Jahres 1861 ist ein Grab an der nach dem Peiräeus führenden Strasse gefunden worden, zusammengesetzt aus verschiedenen Marmorplatten, an deren Ecken wir einzelne Buchstaben eingegraben finden zur Bezeichnung der verschiedenen Stücke, welche zu einander passen.

2) Sehr mannichfaltig sind die hier in Attika gefundenen Gräber aus Ziegeln; am häufigsten treffen wir die aus vier concaven Ziegeln für die Seitenwände und je einer kleineren Platte für die Schmalseiten gebildeten, und zwar sind solche Platten meistens mit einfacher, dunkelrother Farbe bemalt. Hübsche Fragmente davon aus einem Grabe in Attika, deren Obertheil hübsche Verzierungen mit grünlicher Farbe auf dunkelrothem Grunde zeigt, befinden sich in der Sammlung der hiesigen archäologischen Gesellschaft. (Vgl. Gerhard, Arch. Anz., 1861. p. 195.)

3) Bruchstücke von hölzernen Särgen führt Gropius an (Ross, Arch. Aufs., p. 23.), sowie auch unlängst im Peiräeus und bei dem alten Dipylon solche Reste gefunden worden sind. Oft scheinen sie aber mit Reliefs von gebrannter Erde geschmückt gewesen zu sein (Ross a. a. O., p. 71.), wovon einige Beispiele Prof. Jahn in seiner unlängst erschienenen Schrift: »Ueber Darstellungen griechischer Dichter auf Vasenbildern«, p. 710, Note 29, anführt. Etliche Reste finden sich überdies in der Sammlung der hiesigen archäol. Gesellschaft, auch einzelne kleine Figuren und einfache Verzierungen in Relief aus gebrannter Erde, deren Hinterseite einfach geglättet ist.

9

erwähnt, in welchen die Asche und die verbrannten Knochen der Verstorbenen beigesetzt wurden [1]).

---

1) Ein solches rundes Marmorgefäss, worin ein anderes silbernes Gefäss mit den Knochen eines jungen Mädchens sich befand, wurde im Frühjahre 1860, am nördlichen Theile der Stadt Athen gefunden. In dem Innern fand man überdies dünne Goldplättchen, welche zu einem Kranze gehörten, und einen kleinen Abdruck einer Münze auf einem Goldplättchen. Daneben war eine kleine Grabsäule mit der Inschrift:

$\Theta \varepsilon o \varphi \iota \lambda \eta$ | $\Phi a \nu o \delta \iota \kappa o \nu$ | $'Pa\mu\nu o\nu\sigma\iota o\nu$ | $\vartheta\nu\gamma\acute{a}\tau\eta\varrho$

aus später Zeit, und in Relief eine Spindel dargestellt (*Bull. dell' Inst.*, 1860. p. 116., die Inschrift auch *Ephem.*, 3655.)

Grabsteinformen. ·

Wie von allen Denkmälergattungen der griechischen
Kunst, so sind auch von Grabsteinen der ältesten Zeit die
Reste so spärlich erhalten, dass wir kaum im Stande wären,
uns ein deutliches Bild von den Grabsteinformen dieser Zeit
zu machen, wenn nicht das gute Glück, welches bis jetzt
fast immer über die in diesem Lande gemachten Funde ge-
waltet hat, uns in den dreissiger Jahren dieses Jahrhunderts
bei Velanidezza, dem alten Phegus, Reste dieser Epoche zu
Tage gefördert hätte, welche, obwohl leider fragmentirt erhalten, dennoch uns so ziemlich ein Bild verschaffen können von den zu dieser Zeit gebräuchlichen Grabsteinen:
wir meinen nämlich die sogenannte Aristion-Stele, welche
öfter publicirt und besprochen worden ist (zuletzt von
Brunn, Künstler-Gesch., I. p. 107.) und die sogenannte
Lyseas-Stele, publicirt und besprochen von Pittakis, *Ephem.*,
Nr. 103., Rangabé, *Ant. hell.*, I. ;Nr. 20. und Ross, Arch.
Aufs., I. p. 63 [1]).

---

1) Von dem höchsten Interesse scheint mir der Umstand, dass nach
der Angabe Pittakis' neben der Aristion-Stele manche Fragmente ver-
brannter Vasen gefunden sein sollen, welche sich jetzt auf der Akropolis
befinden und einige sehr schöne Figuren in rother Farbe auf schwarzem
Grunde aus der Zeit der entwickelten Vasenmalerei aufweisen; leider
aber kann man, wie Schöll, Arch. Mitth., p. 19. richtig bemerkt, auf
solche Angaben kein grosses Gewicht legen.

In diesen beiden Resten haben wir nun zwar Grabstelen, die im Obertheile, dem wesentlichsten Theile, fragmentirt sind, können uns aber leicht ein Bild ergänzen, welches nicht wesentlich verschieden von dem Fig. 1. gegebenen
ausfallen kann. Auf viereckigem Sockel nämlich, worauf der
Name des Verstorbenen steht, erhebt sich eine viereckige,
nach oben etwas verjüngte, dünne Platte, welche oben wahrscheinlich durch Anthemien, d. h. Blätter- und Blumenver-
zierung wie die Stelen der späteren Zeit, zu ergänzen sein wird,
und so werden wir schon in dieser ältesten Zeit das Analogon
der später, besonders in der Blüthezeit griechischer Kunst,
so häufig und so mannichfaltig vorkommenden, herrlichen,
attische Stele zu erkennen haben. Während wir aber auf der
Aristion-Stele in Relief einen Krieger in voller Rüstung dargestellt sehen, finden wir die glatte Fläche der ebenso ge-
stalteten Lyseas-Stele unverziert, was uns zu dem Schlusse
hinführt, dass diese Fläche im Alterthume durch irgend eine
gemalte Darstellung geschmückt gewesen ist, wovon sich
aber jetzt leider gar keine Spur mehr erhalten hat. Diese
bis vor Kurzem hier in Attika einzigen sepulcralen Monumente aus der ältesten Zeit griechischer Kunst erhielten in
neuester Zeit einen Zuwachs, indem es dem unermüdlichen
Eifer Dr. Conze's geglückt ist, in der Mauer einer kleinen
zerfallenen Kirche am rechten Ufer des Kephissos an der
nach dem Gute der Königin führenden Strasse ein Fragment
einer Stele zu finden, welches zwar stark beschädigt und
fragmentirt und nur in einem kleinen Stücke erhalten, doch
sich leicht als das Bruchstück eines der Aristion-Stele ziemlich ähnlichen Grabsteines wird erkennen lassen. Wir haben hier ebenfalls in Relief den Obertheil eines stehenden
bewaffneten Kriegers vor Augen, und werden diese Stele,
was den Styl betrifft, wahrscheinlich für etwas älter halten,
als die Aristion-Stele. Das Fragment ist von Dr. Conze in

Gerhard's Archäol. Zeitung 1860 Nr. 135. publicirt und besprochen worden und lässt uns mit vieler Wahrscheinlichkeit schliessen, dass sowohl die Form solcher Stelen als auch die darauf befindliche Darstellung bei sepulcralen Monumenten dieser ältesten Epoche die allerhäufigsten waren. Man könnte hier zwar auch noch manche andere sepulcrale Reste dieser Epoche anführen, namentlich alte Inschriften auf meist viereckigen Basen; da wir aber daraus gar keinen Schluss auf die zu dieser Zeit gewöhnlichen Grabsteinformen machen können, so übergehen wir sie für jetzt, um sie erst unter den Grabinschriften anzuführen.

Wenn uns die sehr beschränkte Zahl der erhaltenen Reste solcher Grabsteine kaum in den Stand gesetzt hat, auf die damals gebräuchlichen Formen derselben mit Sicherheit zu schliessen, so ist wiederum die Fülle und Mannichfaltigkeit der auf uns gekommenen Grabsteine aus der Blüthezeit griechischer Kunst so überwältigend und verwirrend, dass man sich daraus nur mit Mühe einzelne Gattungen abzusondern vermag. Die erste Form nun, welche wir noch aus der ältesten Zeit her im Gebrauche finden, sind die herrlichen, einfachen attischen Stelen, deren Obertheil in Anthemien, schöne Blumen- und Blätterverzierungen ausläuft und unten wahrscheinlich auf einer Basis ruhte (Fig. 2—8.). Die gewöhnliche Form dieses Anthemion ist die eines auf beiden Seiten etwas gedrückten Halbkreises, wird aber meistens von der Blumen- und Blätterverzierung bedingt. Wir finden zwar häufig solche Anthemien in Relief angegeben, da aber sehr viele solcher Reste (Fig. 16. 18. 22. 26.) oben nur eine glatte Fläche aufweisen, so müssen wir, nach einigen noch erhaltenen Farbspuren schliessend, alle diese Flächen sowohl als auch wahrscheinlich das Gesimse solcher Stelen mit gemalten Blätter- und Blumenverzierungen geschmückt uns denken. (Beispiele führt Ross, Archäol. Aufsätze, I. p. 40.,

Taf. 1. an[1]). Nicht aber alle möglichen Blumen und Blätter finden wir zu solchen Verzierungen gebraucht, sondern wir sehen bestimmte immer wiederkehrende Gattungen, wovon zwar einige uns noch bekannt sind, andere wiederum uns nicht so deutlich erscheinen. So finden wir zuerst unterhalb die Akanthusblätter[2]) dargestellt, von welchen aus die anderen Blätter und Blüthen sich nach oben ausdehnen und die ganze obere gerundete Fläche des Steines einnehmen. Am häufigsten unter sonstigem Blätter- und Blüthenschmucke finden wir längliche dünne Blätter und kleine kelchartige Blumen, welche ich am liebsten als Asphodelospflanze, die bekannte Unterweltsblume auffassen möchte, da die noch heut zu Tage in grosser Menge wild wachsende Blume dieses Namens grosse Aehnlichkeit damit hat. In der Mitte der Stele meistens unterhalb der Inschrift finden wir die sogenannten Rosetten, zwei an Zahl, ein Schmuck, welcher wahrscheinlich nur zur Raumausfüllung dienen soll[3]). Oft

---

1) Interessant in dieser Beziehung ist eine im Vatican befindliche Vase, auf welcher wir einen Jüngling dargestellt finden, welcher die architektonischen Ornamente einer solchen Grabstele malt (Gerhard, Winkelmanns-Programm 1841, p. 7. Taf. II., 1. *Museo Gregoriano*. II. 16. 1.). Ferner finden wir solche Stelen sehr häufig auf attischen Lekythen dargestellt, wie sie von hinzutretenden Figuren entweder mit Blumen oder Tänien geschmückt werden, was uns ausser durch die alten Schriftsteller auch durch die Monumente selbst bezeugt wird, indem wir eine solche marmorne Stele besitzen (Hadr. Stoa. 3344), auf welcher in Flachrelief eine um die Stele gewundene Tänie dargestellt ist.

2) Die *Acanthus spinosa* wächst hier zu Lande wild und gedeiht meistens üppig. Besonders tritt sie neben Ruinen und sonstigen Steinen hervor und man kann oft bei dem Aufsuchen noch uneröffneter Gräber durch diese Pflanze geleitet werden. Dass übrigens diese Pflanze im Alterthume zum Schmucke von Gräbern verwendet wurde, bezeugt uns die liebliche Erzählung von der Entstehung der korinthischen Säule.

3) Nach Friedrichs, Philostrat. Gemälde, p. 211, 218. ff. finden wir solche Rosetten auch auf Vasenbildern nur zur Raumausfüllung angebracht.

finden wir auch darunter ein vertieftes, meist viereckiges Feld, worin Reliefdarstellungen angebracht sind. Wenden wir uns jetzt zur zweiten Gattung von Grabsteinen, welche sowohl an Zahl als auch an Mannichfaltigkeit alle anderen übertrifft (Fig. 9—10.): es sind diejenigen Grabsteine, welche einen Giebel bilden, der durch zwei viereckige Anten oder auch runde Säulen getragen wird: »τὸ μὲν σῶμα γῇ κρύπτουσι, λίθου δὲ οἰκοδομήσαντες κρηπῖδα κίονας ἐφιστᾶσι, καὶ ἐπ' αὐτοῖς ἐπίθημα ποιοῦσι κατὰ τοὺς ἀετοὺς μάλιστα τοὺς ἐν τοῖς ναοῖς« (Paus., II. 7. 2.)

Solche Grabsteine stellen uns die Behausung des Todten vor und finden sich auch auf Vasen oft dargestellt (Stackelberg, Gräber 72, 2.) Am häufigsten finden wir darin in Hochrelief Darstellungen des Abschiedes oder auch der Schmückung der Frau. Die meisten davon sind gross und prächtig angelegt aus der Blüthe der griechischen Kunst, und oft auch aus verschiedenen Stücken zusammengesetzt, so z. B. das herrliche Relief, welches vor Kurzem vor dem Dipylon gefunden worden ist (*Bull. dell' Inst.*, 1861. p. 140.) und andere. Die Inschrift finden wir gewöhnlich auf dem Architrave; auch sehen wir im Giebel manchmal in Relief einzelne Gegenstände dargestellt, wie z. B. Schilde, Hunde u. s. w. Als Abart dieser Gattung müssen wir diejenigen Grabsteine auffassen, deren Obertheil zwar mit einem Giebel geschmückt ist, bei denen aber dieser Giebel nicht von Säulen getragen wird, sondern einfach den oberen Theil einer dünnen Platte krönt (Fig. 11. 19. 20. 21. 24. 27.). Sie haben meistens nur eine Inschrift auf der glatten Fläche und nur selten Reliefdarstellungen auf vertieftem Grunde, waren vielleicht auch manchmal durch gemalte Darstellungen geschmückt[1].

---

1) Dass solche Stelen oft mit bemalten Darstellungen geschmückt waren, beweist schlagend ein Grabstein in der Sammlung der hiesigen

Wenden wir uns jetzt zu der dritten Hauptgattung von Grabsteinen, den massiven Marmorvasen, welche wieder in zwei Classen eingetheilt werden, in einhenkelige, Hydrien (Fig. 13.) und zweihenklige (Fig. 14.). Die meisten solcher uns erhaltenen Vasen sind jedoch leider oben sowohl als unten fragmentirt, so dass man zwar leicht sich die fehlenden Theile ergänzen kann, aber leider die wahrscheinlich vorkommenden Mannichfaltigkeiten derselben uns gänzlich unbekannt bleiben. Sowohl die Mündung als auch die Henkel der zweihenkeligen Vasen finden wir meistens durch Arabesken und sonst verziert[1]), während die einhenklige Hydria meistens ungeschmückt vorkommt. Deutliche Farbenspuren, welche auf sehr vielen Exemplaren beider Gattungen am Halse und oberen Rande der Vasen sich erhalten haben, lassen uns mit voller Sicherheit auch bei diesen Grabmonumenten gemalte Ornamente voraussetzen (auch Fauvel fand

---

archäologischen Gesellschaft, wo wir auf einer gewöhnlichen Stele mit Giebel und Rosetten unter der Inschrift:

Σίμων Θεοδώρου Μιλήσιος | Ἀφροδισία Σαμία

ein viereckiges, vertieftes, mit Architrav verziertes Feld finden, dessen glatte Fläche im Alterthume entschieden bemalt war. (Es ist von Kumanudes in den ἐπιγραφαὶ ἀνέκδοτοι 1861. Nr. 70. publicirt worden.)

1) Die Mündung und der Henkel der zweihenkeligen Vasen sind in Flachrelief auf ziemlich dünner Platte angegeben (gegen 0,10 Centimeter dick) und daraus erklärt es sich, weshalb diese von der Vase selbst abgebrochen gefunden werden und in manchen Exemplaren in den verschiedenen Sammlungen sich finden. Am häufigsten finden wir die Mündung und den Hals der Vase in Form des Stammes der Palme; die Henkel sind manchmal mit Tänien geschmückt; auf einzelnen Exemplaren davon, welche in Privatbesitz sich befinden, fanden wir zwischen Mündung und Henkel kleine Figuren in Relief, so z. B. zwei Krieger mit Schilden am Boden, nach vollendetem Kampfe wahrscheinlich sich von einander abwendend. Doch lässt uns die geringe Zahl solcher Reliefdarstellungen, welche wir bis jetzt getroffen haben, noch nicht erkennen, inwiefern solche Darstellungen in Beziehung stehen zu der Grabvase selbst und den sonstigen Darstellungen auf Grabsteinen.

oft Spuren von Bemalung bei solchen Vasen: Ross, Arch.
Aufs., p. 30.). Oft finden wir auch auf dem Bauche solcher
Vasen in Flachrelief den Abschied oder die Schmückung
der Frau oder sonstige, ähnliche, sepulcrale Darstellungen.
Sehr verschieden ist die Grösse solcher Vasen, indem wir
an Höhe zwei Meter und manchmal 0,50 finden[1]). Was nun
die Zeit betrifft, in welcher solche Grabvasen zuerst in Gebrauch kamen, so müssen wir zwar die von Gerhard (*Annali
dell' Inst.* 1829.) aufgestellte Ansicht, dass sie jünger seien
als die gewöhnlichen, mit Anthemien geschmückten attischen
Stelen, unterschreiben, müssen aber doch auch anerkennen,
dass sie in ziemlich früher Zeit schon in Gebrauch gewesen
sind, da manche sowohl an Form als auch an Stil der Relief-
darstellungen uns die reinen, schönen Formen der Blüthezeit der Kunst vergegenwärtigen. Dazu können auch gerechnet werden die in Flachrelief auf gewöhnlichen Stelen
vorkommenden Vasen, sowohl einhenklige als auch besonders zweihenklige, wovon manche auch mit Reliefdarstellungen geschmückt sind. Ein Fragment in der Sammlung
der archäologischen Gesellschaft, 0,95 hoch und 0,48 breit,
stellt zwei Vasen, die eine grösser, die andere kleiner, neben
einander in Relief dar.

Unter die vierte Hauptgattung der Grabsteine können
wir alle diejenigen rechnen, welche, ihrer Kleinheit und
Unbedeutendheit nach zu schliessen, jedenfalls für die ärmeren Classen der Bevölkerung bestimmt waren. Darunter
gehören zuerst kleine, dünne, länglich viereckige Grabsteine

---

1) In dem Theseion unter Nr. 23. finden wir eine massive marmorne
Vase, 0,50 hoch, welche in dem nördlichen Stadttheile gefunden werden
ist (abgeb. in *Ephem.* 761. Fig. 30.). Sie hat zwei kleine Henkel, ist dick-
bäuchig und cannelirt und zeigt auf den Canneluren die spate Inschrift:

Αφροδείσιος | Δείου Σφήττιος | ;

wahrscheinlich war sie über der Erde aufgestellt.

(Fig. 28.), worauf wir in Flachrelief meistens nur eine Figur dargestellt finden; sie scheinen in der Mehrzahl aus der späteren Zeit zu stammen, doch lassen sich einige davon etwas höher ansetzen. Erhaltene Farbenspuren zeigen, dass auch sie bemalt gewesen waren. Zu derselben Classe sei endlich auch die grosse Anzahl der gewöhnlich runden, seltener viereckigen, kleinen Grabsäulen gezählt (Fig. 33—37.). Die runden Grabsäulen haben etliche Zoll unterhalb ihrer Spitze eine rings herumlaufende kleine Wulst, was Ross, Arch. Aufs., p. 26., als Anspielung auf den Phallus erklärt, eine Auffassung, welche jedoch mit Bestimmtheit nicht erwiesen werden kann. Gewöhnlich sind solche Grabsäulen blos mit Inschriften versehen, manchmal aber und zwar aus später Zeit finden wir darauf in Relief entweder eine Grabvase dargestellt, oder auch eine stehende Figur. Sehr verschieden ist ihre Grösse: wir haben Durchmesser von 0,64 und auch 0,10 gefunden. Ihre Höhe kann man leider nicht angeben, da ihr unterer Theil, der in die Erde eingesenkt war, meistens abgebrochen ist. Man findet auch einige Exemplare, welche entweder oben oder unten breiter sind[1]).

1) Hier sei eine Vermuthung eingefügt. Wir finden nämlich in den verschiedenen öffentlichen Sammlungen Athens kleine, nach oben sich verjüngende, mit breitem Untertheile versehene, runde Säulen (Fig. 39.), welche oft cannelirt sind und oben darauf eine viereckige, kleine Vertiefung haben. Manche davon haben eine einfache Weihinschrift, oft aus sehr alter Zeit, andere haben sepulcrale Inschriften; so Thes. Nr. 252. Δημητρία τιτθή, auf der Akropolis 1041 in Flachrelief eine zweihenklige Vase, oben Γ . . . . ραεύς. Eine andere vor dem Theseion aufgestellte: Μεναίχμος | Μεναίχμου | Πηλη . . . . . — Eine andere Thes. Nr. 148. mit Inschrift aus später Zeit: Χρηστοῦ Τέχνωνος | μνήματος Φρυγὸς τόδε | ὃς νῦν ποθεινὸς γέγονας | τοῖς ἐν τῇ πόλη. — Caylus Ant. I. pl. 20. und IV. pl. L. 5. führt zwei ähnliche Denkmäler auf, welche er als Altäre und Basis erklärt. Wir müssen nach den Worten des Pausanias, 9. 30. 7.: »κίων τέ ἐστιν ἐν δεξιᾷ καὶ ἐπίθημα ἐπὶ τῷ κίονι ὑδρία λίθου,« solche Säulen als Basen massiver Grabvasen erklären.

Pervanoglu, Grabsteine. 2

Schwierig wäre es, mit Genauigkeit bestimmen zu wollen, wann eigentlich die eine oder die andere Grabsteingattung gänzlich aufhört im Gebrauche zu sein und wann die andere anfängt, da es meistens vom Zufalle abhängt, dass diese oder jene vernichtet wurde, die andere wiederum in mehren Exemplaren sich erhalten hat. Wenn man aber aus den erhaltenen Exemplaren einen Schluss ziehen wollte, so würde man zu folgendem Resultate gelangen: Die herrliche, attische Stele mit Anthemien, unsere erste Gattung, verschwindet in späterer Zeit fast gänzlich, dagegen tritt die zweite Gattung, die uns die Behausung des Todten vergegenwärtigen soll, am häufigsten in späterer Zeit hervor und zwar mit manchen Modificationen; so finden wir z. B. anstatt viereckiger Anten meistens runde, oft canellirte Säulen, welche nach oben zu näher an einander treten und in einen Bogen auslaufen, der den Giebel trägt (Fig. 10.). Von sonstigen Grabsteinformen der Blüthezeit griechischer Kunst finden wir in späterer Zeit alle vertreten, so die massiven Vasen, die oben mit Giebeln versehenen Stelen und besonders die einfachen, kleineren, viereckigen und runden Grabsäulen der ärmeren Bevölkerung; endlich seien der Vollständigkeit wegen hier auch die mit Darstellungen oder Verzierungen geschmückten Sarkophage kurz erwähnt, welche aber erst aus römischer Zeit sind, und wahrscheinlich auf der Erde aufgestellt waren, obwohl Ross, a. a. O., p.35. auch solche unter der Erde gefunden hat.

Dieses wären also die Hauptgattungen der in Attika vorkommenden Grabsteine. Zwar sind diese unter sich wiederum von grosser Verschiedenheit und Mannichfaltigkeit; da aber ein klares Bild davon nur durch genaue Abbildung aller erhaltenen Reste gegeben werden kann, so verzichten wir für jetzt auf ein tieferes Eingehen in dieselben.

Von hohem Interesse scheint uns die leider nicht leicht

zu beantwortende Frage zu sein, wie solche Grabsteine
aufgestellt waren, da die meisten der uns erhaltenen Reste
unten abgebrochen sind. Die Grabstelen der ältesten Zeit
waren wahrscheinlich auf viereckigem Sockel aufgestellt,
so z. B. die Aristion- und Lyseasstéle. Auch die grösseren
Grabsteine mit Säulen und Giebel hatten ihre Basis, worauf
sie ruhten und waren durch einen Zapfen befestigt. (Stelen
mit Zapfen finden sich Hadr. Stoa. Nr. 3344., Thes. Nr. 337.
und sonst; cf. Stephani, Ausruhender Herakles, p. 72.). Die
dünneren Stelen, deren oberer Theil mit Anthemien oder
einem Giebel geschmückt war, waren meistens in grössere
Steine eingesetzt und so auf dem losen Erdreich befestigt,
oder auch in den Felsboden selbst eingelassen. Beispiele
von Grabstelen, die noch jetzt auf einem grossen Steine befestigt sind, haben sich manche erhalten; so z. B. Abschieds-
scenen, Nr. 34. und sonst. Endlich hatte auch die einfache,
kleine Grabsäule unten einen dickeren, roh gelassenen Theil,
der dann in die Erde eingesetzt wurde.

Die auf den Grabsteinen vorkommenden Darstellungen.

Schon bei Homer, Odyss. XI. 75. ff. und sonst finden
wir die Sitte angeführt, den Verstorbenen ein Denkmal zu
setzen als Erinnerungszeichen für die späteren Geschlechter.
Nichts ist aber einfacher und entspricht besser diesem
Zwecke als der Gebrauch, das Denkmal, welches man dem
lieben Todten setzte, mit dem Bilde des Verstorbenen selbst
zu schmücken und so zeigen uns denn die ersten Ueberreste,
die uns vor Augen treten, das Bild eines Kriegers: »ἐπίθημα δὲ τῷ μνήματι ἀνὴρ ὡπλισμένος« (Paus., 7, 2.), wie
die Aristionstele. Wir sehen einen stehenden Krieger in

2 *

Flachrelief mit Helm, Panzer und Lanze, welcher sowohl
nach der Straffheit seiner Haltung als auch besonders nach
anderen Eigenthümlichkeiten der Arbeit und auch nach der
beigegebenen Inschrift des Künstlers Aristokles sich uns
als ein Werk der Zeit vor der 80 sten Olympiade deutlich zu
erkennen giebt (Brunn, Künstler-Gesch., I. p. 107. ff.). In
diesem Denkmale, sowie in dem ziemlich ähnlichen, von
Dr. Conze vor wenigen Jahren aufgefundenen Fragmente
müssen wir die ältesten, uns erhaltenen Reste solcher Grabsteine erkennen, welche uns in dem einfachsten und dabei
dem Sinne der alten Griechen entsprechendsten Schmucke
vor Augen treten, indem sie die Todten so darstellen, wie
sie während ihres Lebens den Verwandten und Bekannten
zu erscheinen pflegten; (ja wir finden sie sogar zuweilen von
Verwandten umgeben).

Zu dieser Gattung von Darstellungen können wir folgende Ueberreste des Alterthums, welche in den verschiedenen öffentlichen Sammlungen Athens aufbewahrt werden, zählen, wobei wir bemerken, dass wir durch Thes. die
Sammlung im Tempel des Theseus bezeichnen, durch Akr.
die auf der Akropolis, durch Hadr. Stoa die in der Hadrians-
Stoa, durch Th. A. die im Thurme des Andronikos Kyrrhestes, und durch Arch. Ges. die der archäologischen Gesellschaft.

1. Thes. Nr. 51. Kleine Stele, worauf in Reliefdarstel-
lung eine stehende Frau. Sie ist unten abgebrochen und
von roher Arbeit. Oben steht die Inschrift Χοιρίδιον. Gef.
1856 in der Nekrop. d. Peiräeus (*Ephem.* Nr. 2691.).

2. Thes. Nr. 58. Stele; auf Antenpfeilern ruht ein
Gesims mit Triglyphen; in der Mitte Hochrelief in guter
Arbeit aus der römischen Zeit. Das Denkmal ist gut erhalten, 0,70 hoch und 0,72 breit. In der Mitte gewahren
wir einen stehenden Mann *en face*, rechts sitzt eine ver-

schleierte Frau, links ein Mann auf einem Sessel, dessen
Füsse durch Greife gebildet sind; er hält in der linken Hand
einen Lorbeerkranz. Unten steht die Inschrift:

Ἀμμία Ἀνδρομαχίδου   Βόηϑε Σάμου Ἀρεϑούσιε
Ἀρεϑουσία χρηστὴ καὶ ἄλυπε χαῖρε. Χρηστὲ καὶ ἄλυπε χαῖρε.

Gefunden in Mykonos und abgebildet in der *Expéd. scient.
de Morée*, III. pl. 1. Nr. 1. besprochen auch von Gerhard,
Annali, 1829. p. 145. ff. Die Inschrift vergl. *Corp. Inscr.
Gr.* II., 2328 ᵇ.

    3. Thes. Nr. 61. Fragmentirte Platte, rechts und oben
abgebrochen, ein Meter hoch. Darauf in Hochrelief eine
auf einem Sessel sitzende Frau, die sich mit dem linken
Ellenbogen auf die Lehne des Stuhles stützt; davor steht
eine weibliche Figur. Die Arbeit ist aus guter Zeit.

    4. Thes. Nr. 261. Gewöhnliche Stele mit Giebel, 0,60
hoch und 0,27 breit. Darauf in Flachrelief eine stehende
Frau, die einen Gegenstand, einer Vase ähnlich, in der
Hand hält. Gewöhnliche Arbeit.

    5. Thes. Nr. 295. Kleine unten fragmentirte Platte,
0,22 breit. Darauf in Flachrelief ein trauernder Greis. Arbeit späterer Zeit.

    6. Thes. Nr. 325. Prächtige Stele mit Giebel, getragen
von Antenpfeilern, aus der guten Zeit griechischer Kunst.
Im inneren Theile gewahren wir in Hochrelief eine reich
gekleidete Frau, die sich mit dem linken Ellenbogen an
einen Pfeiler lehnt und mit der rechten Hand den Schleier
fasst. Oben auf dem Architrave steht die Inschrift aus guter
Zeit:

            Μελίτη Σπουδοκράτος γυνὴ Φλυέως.

Das Ganze ist 1,80 hoch und 0,77 breit und sehr gut erhalten. Es wurde im Jahre 1836 in der Nekropolis nördlich
vom Peiräus gefunden. — Eine erbärmliche Abbildung davon
ist in der *Ephem. archaeol.* Nr. 773. (wie ja alle Abbildungen

der Ephemeris unter mittelmässig sind). Die Inschrift steht auch bei Rangabé, *Ant. hell.*, II. Nr. 1655.

7. Thes. Nr. 374. Gewöhnliche Stele mit Giebel, getragen von Anten. Das Ganze ist 1 Meter hoch und 0,47 breit. In der Mitte sehen wir in Hochrelief einen Mann und eine Frau *en face* in langer Gewandung. Die Frau hält in den Händen die gewöhnlichen Instrumente des Isisdienstes, das Sistrum und das Wassergefäss (Ross, Demen von Attika, p. 46 und 94.). Die Arbeit stammt aus der römischen Zeit. Oben steht:

Εὔκαρπος Εὐπό | ρου Μειλήσιος | Σοφία Ἀγαπητοῦ | ἐκ Κηραίδων.

8. Thes. Nr. 375. Gewöhnliche Stele, 1 Meter hoch und 0,47 breit. Sie führt uns in Relief eine stehende männliche und weibliche Figur vor Augen, unten in Flachrelief ein Pferd. Die Arbeit ist aus später Zeit. Unten steht die Inschrift:

Ἀφρόνητος Σωτηρίς
Σωτηρίωνος Φιλουμένης.

9. Thes. Nr. 447. Unbedeutendes Fragment, eine sitzende Frau darstellend.

10. Thes. Nr. 605. Gewöhnliche Stele mit Giebel ohne Säulen, 1,30 hoch und 0,45 breit. Auf viereckigem vertieftem Felde erhebt sich ein Relief, welches uns eine sitzende Frau darstellt, die mit der Rechten den Zipfel des Schleiers hält, während neben dem Sessel eine kleine Figur mit Fächer und dieser gegenüber eine männliche Figur steht. Es ist eine fleissige Arbeit aus römischer Zeit.

11. Akr. Nr. 1164. Stele, worauf in Flachrelief ein stehender Mann in langer Gewandung erscheint, theilweise fragmentirt, ein Werk späterer Zeit. Oben steht eine fragmentirte Inschrift:

..... εινηλυχου Πειρ ....

12. Akr. Nr. 1970. Unbedeutendes Fragment einer Stele, worauf in Flachrelief eine sitzende Frau.

13. Akr. Nr. 2283. Kleines Fragment einer Stele mit einem Relief, dessen Oberfläche stark beschädigt ist: eine sitzende Frau hält Etwas in der Hand; vor ihr steht eine fragmentirte männliche Figur mit einem Gefäss.

14. Akr. Nr. 2570. Fragmentirte Grabvase mit ziemlich abgeriebenem Flachrelief, das eine sitzende weibliche Figur darstellt. Gute Arbeit: oberhalb steht Φιλομένη.

15. Hadr. Stoa. Gewöhnliche Stele, worauf in Relief eine sitzende Frau, die mit der Linken den Schleier erfasst; vor ihr eine stehende männliche Figur; oben am Giebel ist in Flachrelief ein Pflug dargestellt. Die Inschrift ist unleserlich; gefunden wurde dieses Denkmal 1840 am äusseren Kerameikos. *Ephem.* Nr. 956.

16. Hadr. Stoa. Nr. 3327. Oben fragmentirte Grabstele mit einem Relief, welches uns einen Mann und eine Frau *en face* stehend zeigt. Späte Arbeit.

17. Hadr. Stoa. Nr. 3333. Stele mit Giebel, unter welchem ein doppelter, vertiefter, viereckiger Grund sich befindet. Im oberen sehen wir in Relief einen Mann und eine Frau *en face* stehen; der Mann hält in den Händen chirurgische Instrumente; darunter steht die Inschrift:

Εὔτυχος Καί | σαρος ἱππιατρός | ῾Ροδὼ Μενε | κράτιδος
Μιλησία.

Auf dem unteren, vertieften Felde finden wir in Relief zwei weibliche Figuren, die eine stehend, die andere auf einem Felsen sitzend; Beide halten einen Fächer in Form eines Epheublattes in der Hand. Oberhalb steht die Inschrift:

ἑαυτῷ καὶ τοῖς τέ | κνοις.

Man ersieht sowohl aus der Arbeit des Reliefs, als aus der Form der Buchstaben der Inschrift, dass das Werk einer

späten Zeit angehört. Gefunden wurde es auf der Insel
Delos (*Ephem.* Nr. 602. abgebildet).

18. Hadr. Stoa. Nr. 3334. Fragmentirte Stele, worauf
in Relief Mann und Frau *en face* stehend abgebildet sind;
sie ist unten abgebrochen; oben steht eine undeutliche Inschrift:

..... ονησασε Ἀφροδίτου Ἀφροδὼ Ζωπύρου.

19. Hadr. Stoa. Nr. 3336. Fragmentirte Grabstele, worauf in Relief ein Mann und eine Frau *en face* stehend erscheinen; oben findet sich eine fragmentirte Inschrift:

...... εοιενίου Σατορνεῖλα γυνὴ αὐτοῦ χλαια .....

20. Hadr. Stoa. Nr. 3358. Stele; in Relief späterer
Zeit sehen wir eine sitzende, trauernde Frau, neben ihr steht
ein Mann; unten findet sich die Aufschrift:

Φιλουμένη Ἀπολ | λοδώρου Καλχηδν | νία χρηστὴ χαῖρε |

Die Buchstaben zeigen die Formen späterer Zeit.

21. Hadr. Stoa. Nr. 3361. Stark beschädigte, kleine
Platte, worauf in Relief ein stehender Mann *en face*; unten
undeutliche Inschrift.

22. Hadr. Stoa. Nr. 3578. Runde Grabsäule; vorn eine
nischenförmige Vertiefung, in welcher in Hochrelief eine
stehende, männliche Figur; sehr späte Arbeit. Oben die
Inschrift:

Αὔλου Ἰουλιανοῦ | Μαραθωνίου |

gefunden im Peiräeus (*Ephem.* Nr. 851. abgebildet).

23. Hadr. Stoa. Nr. 3589. Fragment einer oben abgebrochenen Stele. Zwischen zwei canellirten Säulen sehen
wir den unteren Theil einer sitzenden weiblichen Figur erhalten.

24. Hadr. Stoa. Nr. 3591. Stele mit Giebel, getragen
von zwei Säulen. In Hochrelief präsentiren sich ein Mann
und eine Frau, stehend *en face*. Die Frau ist durch ihre
Bekleidung, das Sistrum und das Weihwassergefäss als Isis-

priesterin bezeichnet. Auf dem Giebel sehen wir in Relief eine Cista; auf dem Architrave steht die fragmentirte Inschrift:

'Επίπονος Άπ . . . .

Das Denkmal gehört der späteren Zeit an.

25. Hadr. Stoa. Nr. 3593. Stele mit Giebel auf Säulen. Inwendig in Hochrelief eine stehende Frau *en face* in langer Gewandung, durch die betreffenden Attribute als Isispriesterin gekennzeichnet. Auf dem Architrave die Inschrift späterer Zeit:

Στήλλην Παρθινόπης.

26. Hadr. Stoa. Nr. 3595. Aehnlich wie die obige Stele in Hochrelief erkennen wir drei stehende Figuren *en face*, eine männliche und zwei weibliche; von den letzteren ist die eine wie gewöhnlich als Isispriesterin bezeichnet. Auf dem Architrave unleserliche Inschrift. Aus später Zeit.

27. Hadr. Stoa. Nr. 3600. Stele wie oben. In Hochrelief zeigt sich uns ein stehender Mann *en face*, der eine ebenfalls stehende Frau um die Schulter fasst. Oben steht

'Ερασεινὴ 'Ερμαγόρας.

Gefunden unweit des Phaleron; der späten Zeit angehörig (*Ephem.* Nr. 2146.).

28. Hadr. Stoa. Nr. 3609. Die Form ähnlich, wie oben; ein aufrecht stehender Mann mit einem Messer in der Hand in ziemlich guter Arbeit. Oben:

Σίμος | Μυρρινόσιος | ;

gef. 1858 im nördlichen Theile Athens (*Ephem.* Nr. 3287.).

29. Hadr. Stoa. Nr. 3612. Stele mit Giebel und kleinem rohen Relief, eine stehende Frau *en face* darstellend. Oben Inschrift aus später Zeit:

'Ρόδη | Σεβειδίου | Μειλισία | .

30. Th. A. Nr. 12. Stark fragmentirte Stele, 1,40 hoch und 0,95 breit. In Relief ist ein stehender Krieger mit Schild dargestellt. Oben .

Σιλανίων Ἀριστοδήμου | Κοθωκίδης |
Die Arbeit ist ziemlich fleissig. Gef. in Salamis (*Ephem.*
Nr. 1646., cf. Bursian, Arch. und epigr. Nachlese, p. 196.).
31. Th. A. Nr. 14. Stele, 1,20 hoch und 0,40 breit:
eine sitzende Frau, die den Schleier erfasst; vor ihr steht
ein Mann. Arbeit aus sehr späten Zeit. Oben findet man
eine undeutliche Inschrift:

... *επι | ουνβειώσεις | Ζωσίμου.*
32. Arch. Ges. Fragment einer Stele, auf welcher in
Flachrelief eine stehende Frau sich zeigt, während wir oben
im Giebel einen Arbeitskorb erkennen. Sehr späte Arbeit. —
Natürlicher Weise begnügte man sich nicht immer,
den Todten allein oder in Begleitung von Verwandten einfach als Krieger oder sonst darzustellen, sondern man ver-
suchte besonders in späterer Zeit durch Portraitähnlichkeit
seine Züge für immer fest zu halten. Schon aus Pausanias,
V, 6, 4. wissen wir, dass auf dem Grabe Xenophon's in
Skillus dessen Portraitstatue stand und auch die uns erhaltenen Statuen, meist aus römischer Zeit, welche man in den
öffentlichen Museen Athens trifft, lassen sich wahrscheinlich, wenn sie sonst weder einen Gott, noch irgend eine berühmte Persönlichkeit darstellen, als solche zum Schmucke
von Gräbern dienende Portraitstatuen erkennen (man vergleiche besonders die von Ross, Inselreisen, öfters angeführten Beispiele davon). Gewöhnlich scheint der Körper der
Statue schon früher fertig gewesen zu sein, so dass nachher
nur noch der Portraitkopf des Verstorbenen aufgesetzt zu
werden brauchte[1]) (Ross, Arch. Aufs., p. 50.). Dazu

---

1) Hier sei bemerkt, dass manchmal auch bei Grabreliefs aus der
Blüthezeit griechischer Kunst der Kopf des Verstorbenen nach deutlichen
Spuren aus anderen Stücken aufgesetzt ist, was uns zu der Vermuthung
führt, dass vielleicht auch in guter, alter Zeit den schon früher fertigen
Grabreliefs oft der portraitähnliche Kopf des Verstorbenen aufgesetzt

rechne man auch die in ganzer oder halber Figur auf Sarkophage eingesetzten Portraitstatuen aus römischer Zeit
(Ross, a. a. O.) und wahrscheinlich kann man als solche Statuen heroisirter Verstorbener auch etliche Statuen erklären,
welche bis jetzt für Götter erklärt worden sind (und zwar
ist dieser Ansicht Prof. Ross, Arch. Aufs., p. 51., und auch
Conze, Thrakische Inseln, p. 19. billigt sie). So findet sich im
Thes. Nr. 553. eine sehr schöne, männliche, nackte Statue in
Lebensgrösse aus Andros (*Ephem.* Nr. 915. abgeb.), welche
ähnlich dem sogenannten Antonius des Vatican, bis jetzt
für Mercur erklärt worden ist, obwohl sie neben Grabinschriften aufgefunden wurde (man vergleiche nur Ross,
Arch. Aufs., p. 51.), und es ist auch sonst gar manche Statue, die als Gott oder Heros in den verschiedenen Museen
Europa's prangt, einfach nur ein idealisirter Verstorbener;
so z. B. ist vielleicht die berühmte, sogenannte schlafende
Ariadne des Vatican Nichts als eine idealisirte schlafende
Verstorbene, deren Statue als Schmuck jenes Grabes diente,
zumal da wir ähnliche Figuren als die schlafende Ariadne,
von Dionysos überrascht, häufig als Schmuck von Sarkophagen finden. Eben dazu muss wahrscheinlich auch eine weibliche Gewandstatue aus später Zeit, 0,85 hoch, gezählt werden, welche eine der sogenannten Pudicitia des Braccio
nuovo ähnliche Gewandung hat; neben ihren Füssen finden
wir eine Čiste, woraus eine Schlange herausschlüpft. Gefunden wurde sie vor wenigen Jahren in dem sogenannten
Buleuterion und befindet sich jetzt in der Sammlung der archäologischen Gesellschaft. In dieselbe Classe können ferner gerechnet werden die einfachen Büsten, welche sich in

---

wurde, so ist z. B. Ende 1861 ausserhalb des Dipylon ein Relief der guten Zeit mit der Darstellung einer Abschiedsscene gefunden worden, wo
der Kopf der sitzenden Frau, der aus einem anderen Stücke eingesetzt
gewesen war, jetzt gänzlich fehlt.

Hochrelief entweder auf einem Marmorrunde oder in der Mitte eines Blumen- und Blätterkranzes finden.

a. Thes. Nr. 254. Inmitten eines Kranzes von Blumen und Blättern erhebt sich in Hochrelief eine Büste, einen bärtigen Kopf darstellend. Die Arbeit gehört der späten Zeit an. Das Ganze hat 0,90 im Durchmesser.

b. Aehnliches Monument in einem Privathause am nördlichen Theile der Stadt: bärtiger Kopf auf Marmorrund; späte Arbeit.

Mit vollem Rechte können wir als eine Erweiterung des früheren Gedankens, der Darstellung des Verstorbenen auf Grabreliefs, eine auf griechischen Grabsteinen oft vorkommende Darstellung erklären, welche uns neben der Figur des Verstorbenen noch eine kleine Figur zeigt, die entschieden als dienende Person wird erklärt werden müssen, indem ja aus alten Monumenten längst erwiesen ist, dass, wie die menschlichen Figuren neben den Göttern, so die Dienenden neben den Herren kleiner dargestellt wurden (Welcker, Alt. Denkm., II. p. 260 ff., Stephani, Ausruh. Herakles, p. 74. und Friedrichs, Philostr. Gem., p. 250 beigefügten Zusatz).

Folgendes sind die Reste dieser Gattung, welche ich mir in den öffentlichen Sammlungen Athens notirt habe.

1. Thes. Nr. 11. Fragmentirte Stele: In Hochrelief sehen wir einen lang bekleideten, stehenden Mann mit abgebrochenem Kopfe, in der Rechten eine Schriftrolle; davor steht eine kleine, männliche, nackte Figur mit einem kleinen Gefäss, wahrscheinlich Oelfläschchen, für die Palästra. Das Ganze ist 0,75 breit und aus guter Zeit.

2. Thes. Nr. 196. Fragment einer Stele, von der in Relief nur der Untertheil einer männlichen Figur erhalten ist, so-

wie die Füsse einer kleinen Figur dabei. Die Stele ist
0,47 breit.

3. Thes. Nr. 257. Kleine Grabstele mit Giebel. Darauf
in Flachrelief ein stehender Mann in langer Gewandung, daneben eine kleine Figur. Späte Arbeit. Das Relief befindet
sich in vertieftem, viereckigem Felde, welches 0,50 hoch
und 0, 23 breit ist. Oben steht:

Μηνόδωρε Διονυσίου χρηστὲ χαῖρε.

4. Thes. Nr. 265. Kleine Stele: ein Relief von roher Arbeit in viereckigem, vertieftem Felde zeigt uns eine stehende,
männliche Figur, eine kleine daneben. Die Stele ist ohne
Giebel und 0,53 hoch und 0,20 breit. Darüber steht die
Inschrift:

Νομογένη | Ἀϑηναῖε | χρηστὲ | χαῖρε. |

5. Thes. Nr. 266. Stele mit Giebel: ein Relief von später
Arbeit stellt eine sitzende Frau dar, neben welcher wir eine
kleine weibliche Figur erkennen. Darüber:

Ἀγοϑοκλέα | Ἀντιπάτρου | Ἱεροπολειτι | χρηστὴ | χαῖρε |

Das Ganze ist 0,55 hoch und 0,30 breit und ist 1832 auf
der Insel Delos gefunden (abgeb. *Ephem*. Nr. 1003.).

6. Thes. Nr. 276. Stele mit Architrav, getragen von
zwei Antenpfeilern. Das Ganze ist länger als hoch. Wir finden darin in Hochrelief aus guter, römischer Zeit und von
guter Erhaltung einen nackten Jüngling mit Chlamys auf
dem Rücken, ein Pferd haltend. Hinter dem Pferde steht
ein Baum mit Früchten, auf welchem ein Vogel sitzt und
an welchem ein Schild und ein Schwert aufgehängt
sind; daneben sehen wir auf der Erde einen Panzer und
eine Lanze. Eine Schlange windet sich den Baum hinan
und wird von dem Jünglinge gefüttert. Vorn steht ein
Knabe mit einem Helm und Zweige, daneben im Hinter-
grund eine viereckige Säule, worauf wir eine schön verzierte, zweihenklige Vase gewahren. Abgebildet ist die Stele

in der *Exped. scientif. de Morée*, III. pl. 97. und Bötticher, Baumcultus, Fig. 63., vgl. Cap. 6. §. 6. und Cap. 14. S. 209., welcher es als Waffenweihe auffasst; auch *Annali*, 1829. p. 139., Stephani (Ausr. Herakl., p. 78. Note) erklärt dieses Monument für ein Anathem. Der Baum, die Schlange und besonders die Vase lassen uns nicht im Geringsten in Zweifel, dass wir einen Grabstein vor Augen haben.

7. Thes. Nr. 335. Stele mit Giebel 0,82 hoch und 0,41 breit. Darauf Relief: eine stehende, männliche Figur in langer Gewandung; davor steht eine kleine Figur mit Oelfläschchen. Späte Arbeit. Inschrift:

*Γοργίας Διονυσίου Λαοδικεῦ,
ἀπὸ Φοινίχης χρηστε χαῖρε.*

8. Thes., 344. Stele mit Giebel 0,82 hoch und 0,35 breit. In Relief sehen wir eine sitzende, männliche Figur; ihr gegenüber eine kleine, stehende. Inschrift:

Φιλόξενε Φιλοξένου | Ἀθηναῖε χρηστέ χαῖρε. |

9. Thes. Nr. 379. Stele mit Gesims, getragen von zwei Säulen. Darin erscheint in Hochrelief ein nackter, stehender Knabe, der die Hand auf den Kopf einer ebenfalls nackten, stehenden, männlichen Figur mit Oelgefäss hält; daneben sehen wir einen aufspringenden Hund. Die Stele ist unten abgebrochen, 0,60 hoch und 0,32 breit. Späte Arbeit. Oben stehen die Worte:

Δεινίας Ὤαθεν.

Gefunden 1829 in den Paralos Attikas, und abgeb. *Ephem.* Nr. 227.

10. Thes. Nr. 561. Stele; in Hochrelief zeigt sich uns ein stehender Mann, daneben eine kleine Figur, die Etwas hält. Höhe 1,40, Breite 0,60. Arbeit aus später Zeit.

11. Hadr. Stoa. Fragment einer Platte, worauf ein stehender Mann und eine kleinere Figur daneben.

12. Hadr. Stoa. Nr. 3325. Stele; darauf in Relief eine

stehende Frau in langer Gewandung; davor eine kleine Figur. Oben: *Γλυχέρα.*

13. Hadr. Stoa. Nr. 3329. Stele, deren Obertheil abgebrochen, wahrscheinlich mit Giebel, der getragen wird von zwei canellirten Säulen. Abgebildet ist eine sitzende Frau, vor welcher wir eine kleine, trauernde Figur sehen. Arbeit aus später Zeit. Aufschrift:

Ἀγελαΐς Ἰσιδότου | ἄλυπε χρηστή.

14. Hadr. Stoa. Nr. 3592. Stele mit einer sitzenden Frau, vor welcher eine kleine, weibliche Figur steht. Inschrift:

Συνφέρουσα Φιλήμονος | θυγάτηρ.

15. Akr. am Eingange. Gewöhnliche Stele von guter Erhaltung, darstellend eine stehende Frau, vor welcher eine kleine, nackte, männliche Figur sich befindet.

16. Akr. Nr. 1920. Stele; in Relief ein sitzender Mann, zu dessen Füssen eine kleine Figur sitzt. Das Ganze ist von roher Arbeit. Oben :

Εὐπόλεμος | Δημήτριος

(Rangabé, *Ant. hell.*, Nr. 1713.). Gefunden 1833, nördlich vom Peiräeus (*Ephem.* Nr. 1685.).

17. Akr. Nr. 1965. Fragment einer Platte : ein stehender Mann, vor dem Ueberreste einer kleinen, nackten Figur erscheinen.

18. Akr. Nr. 2688. Fragment : stehende, männliche Figur, vor der ebenfalls eine kleine Figur steht.

19. Akr. Nr. 2768. Fragment, welches uns einen stehenden Jüngling in der Chlamys darstellt, der Etwas in den Händen hält und vor dem eine kleine, weibliche Figur steht.

20. Akr. Nr. 2769. Fragment, welches uns den unteren Theil einer sitzenden, männlichen Figur zeigt, vor der wiederum eine kleinere steht.

21. Arch. Ges. Stele: ein Mann steht da, in seinen Mantel gehüllt und auf den Stab gestützt, im Begriff, einer

vor ihm stehenden, kleinen, männlichen Figur Etwas dar-
zureichen. Das Monument ist stark beschädigt. —
Dieser Gattung von bildlichen Darstellungen auf Grabsteinen am verwandtesten und ebenfalls häufig vorkommend
sind diejenigen, wo wir den Verstorbenen erblicken, begleitet von irgend einem Hausthiere, gewöhnlich von einem
Lieblingshunde, welchem er entweder einen Vogel oder
sonst etwas ähnliches darreicht[1]). Am häufigsten werden
Knaben oder Jünglinge so dargestellt (Friedländer, a. a. O.,
p. 18), auch Mädchen zuweilen (*Annali dell' Instit.*, IX.
p. 125.). Dass am häufigsten Vögel den Hunden dargereicht
werden, erklärt sich daraus, dass die Vögel ebenfalls Lieblingsthiere der griechischen Jugend waren (Becker, Charikles, I. p. 383., auch Friedländer, a. a. O., p. 19 f.).
Dass schon in sehr früher Zeit solche Darstellungen zur
Schmückung von Grabsteinen im Gebrauche waren, beweist
das sehr alte Relief bei Orchomenos, welches uns den Verstorbenen vor Augen führt, wie er auf seinen Stab gestützt
seinem Hunde eine Heuschrecke darreicht, öfter besprochen
und abgebildet, Müller, Hndb., §. 96. Nr. 28, zuletzt auch
besprochen von Conze und Michaelis in ihrem *Rapporto d'un
viaggio fatto nella Grecia nell'* 1860 (*Annali dell' Inst.*,
1861. p. 83 ff.), welche auch darunter den Künstler-Na-
men Ἀγξήνωρ fanden. Die hier in Athen befindlichen Grabsteine mit dieser Darstellung sind folgende:
1. Thes. Nr. 156. Stele mit Giebel, 0,65 hoch und 0,37
breit. Darauf sehen wir in Relief einen aufrechtstehenden
Mann in langer Gewandung, der in der Rechten einen Vogel hält, während ein kleiner Hund zu ihm hinaufspringt.

---

1) Prof. Jahn in seiner unlängst erschienenen Abhandlung »Dichter
auf Vasenbildern«, p. 735., hält ähnliche Darstellungen auf Vasenbildern
für gewöhnliche Handlungen aus dem täglichen Leben.

Die Arbeit ist gewöhnlich. Oben steht der Name Πολύ-
εχτος. Gefunden 1858 im nördlichen Theile Athens (*Ephem.*
Nr. 3284.).

2. Thes. Nr. 212. Oben fragmentirte Stele von roher
Arbeit, 0,30 breit, eine stehende, männliche Figur darstellend, zu der ein Hund emporspringt.

3. Thes. Nr. 260. Fragment einer 0,30 breiten Stele,
von der nur der untere Theil erhalten ist. Es ist eine Frau
dargestellt mit einem Vogel in der Rechten und neben ihr
ein Hündchen. Arbeit aus später Zeit.

4. Thes. Nr. 267. Fragmentirte Stele, 0,23 breit. In der
Mitte Hochrelief: Ein Knabe drückt mit der Linken einen
Vogel an seine Brust, wahrscheinlich, um ihn vor dem
Hunde zu beschützen; in der Rechten hält er einen undeut-
lichen Gegenstand.

5. Thes. Nr. 280. Oben abgebrochene Stele, 0,25 breit.
Ein Knabe mit einem Vogel in der Hand zieht einen Kar-
ren als Spielzeug, während ein Hündchen nebenher springt[1].

6. Thes. Nr. 578. Oben abgebrochene Stele, 0,25 breit.
Zwischen zwei canellirten Säulen sehen wir in Hochrelief
einen Mann mit einem Zweig in der Hand, daneben eine
kleine Kuh; unten in Flachrelief einen Pflug und eine
Wölfin; die Arbeit ist aus römischer Zeit.

7. Thes. Nr. 610. Fragment von guter Arbeit; in
Hochrelief sehen wir auf dem erhaltenen Theil einen in die
Höhe blickenden Windhund, dabei den Fuss einer stehenden,
männlichen Figur.

8. Thes. Nr. 602. Fragment mit Hochrelief, welches

---

[1] Fast dieselbe Darstellung finden wir auch auf einer Vase (Panofka, Bilder antiken Lebens, Tf. 1, 3.): ein Knabe nämlich zieht ein
Wägelchen nach sich und lockt einen Hund durch Kuchen. Soll diese
Darstellung einfach aus dem täglichen Leben hergenommen sein, oder
müssen wir annehmen, dass diese Vase zu sepulcralen Zwecken ange-
fertigt war? —

uns ebenfalls einen Windhund darstellt, neben welchem Gewand und Füsse einer stehenden, männlichen Figur noch erhalten sind.

9. Akr. Nr. 1972. Fragment, auf welchem uns der untere Theil eines Knaben erscheint, der Etwas in seiner Hand hält; daneben ein aufspringendes Hündchen.

10. Akr. Nr. 1979. Stele; das ziemlich gut erhaltene Relief zeigt uns einen stehenden Knaben, neben ihm ein in die Höhe springendes Hündchen.

11. Akr. Nr. 2043. Fragment mit dem unteren Theil einer stehenden, männlichen Figur; daneben ein Hündchen.

12. Akr. Nr. 2087. Stele mit einer Vase in Flachrelief, auf welcher ebenfalls in Flachrelief eine stehende, männliche Figur mit einem Hunde.

13. Akr. Nr. 2113. Fragment: ein stehender Jüngling mit einem Hunde.

14. Akr. Nr. 2151. Fragment: Knabe und Schaf (ob christlich?)

15. Akropolis westlich vom Erechtheion, 1860 gef.: eine Platte, worauf in Hochrelief ein nackter Knabe, welcher ein Wägelchen zieht; vor ihm ein aufblickender Hund. (In später Zeit überarbeitet, ähnlich Nr. 5.)

16. Hadr. Stoa. Stele: Knabe mit einem Vogel in der Hand, daneben ein aufspringendes Hündchen.

17. Hadr. Stoa. Nr. 3390. Fragment einer Stele, deren noch erhaltener, unterer Theil eine stehende Figur darstellt, welche einem aufspringenden Hunde Etwas darreicht.

18. Hadr. Stoa. Nr. 3578. Fragment mit Hochrelief. Jüngling mit einem Hunde.

19. Fragment, eingemauert in einem Privathause bei dem Monumente des Lysikrates: aufspringender Hund.

Nachdem wir im Vorigen diejenigen Grabsteine angeführt haben, welche geschmückt sind mit Darstellungen der

Verstorbenen, sei es allein, sei es in Begleitung von Verwandten, Dienern oder Lieblingsthieren, wenden wir uns
jetzt zu derjenigen Gattung von Darstellungen, welche uns
den Verstorbenen, allein oder in Begleitung von Freunden
und Verwandten in seinen täglichen Beschäftigungen zeigt.
Zuerst seien solche Darstellungen angeführt, wo der Verstorbene als junger Mann noch der Palästra angehörig uns
vor Augen tritt, indem wir ihn entweder mit der Strigilis
oder dem Oelfläschchen oder sonstigen palästrischen Gegen-
ständen finden, wobei auch zuweilen die Palästra durch eine
Herme ') angezeigt wird.

In diese Classe müssen die schon oben angeführten
Darstellungen gerechnet werden, wo wir neben dem Verstorbenen die kleine, dienende Figur ein Oelfläschchen oder
sonstiges, palästrisches Geräth haltend finden. Ausser diesen
habe ich noch folgende in den öffentlichen Sammlungen
Athen's notirt:

1. Thes Nr. 4. Stele, 1 Meter hoch und 0,32 breit,
mit fleissig gearbeitetem Hochrelief in vertieftem, viereki-
gem Felde: Ein nackter Jüngling *en face* steht vor einer
männlichen Herme; daneben sehen wir eine Vase und eine
kleine, stehende, männliche Figur mit Strigilis.

2. Thes. Nr. 345. Fragment einer oben und unten abgebrochenen Stele, 0,32 breit. In Flachrelief erscheint ein
nackter Jüngling, der sich mit der Strigilis abschabt.

3. Hadr. Stoa. Nr. 3579. Platte, wahrscheinlich zu einem
grösseren Grabmonumente gehörig, 1,6 hoch; abgeb. und
besprochen *Ephem.* Nr. 721. und Stephani, Ausr. Herakles,

---

1) Die Herme auf Grabreliefen dient zwar am häufigsten zur Kenn-
zeichnung der Palästra, manchmal aber bezeichnet sie auch, dass der Verstorbene in seinem Leben durch eine solche von dem Staate geehrt worden, oder dient auch zur Bezeichnung eines Grabmonumentes (vgl.
Friedländer, a. a. O., p. 37 ff. und Stephani, Ausr. Herakles, p. 39 ff.).

3 *

Tf. VI, 1. p. 39., gefunden 1840 am äusseren Kerameikos:
Zwei männliche, stehende Figuren, die eine mit Zeichen der
Trauer; eine kleine nackte, männliche Figur kauert auf der
Erde, Strigilis und Oelfläschchen in den Händen.

4. Thes. Nr. 360. Fragment einer ähnlichen Darstellung (Stephani, a. a. O., p. 39.).

5. Ähnliche Darstellung auf einem Grabsteine am Wege
nach Sunion (Stephani, a. a. O., p. 39.).

6. Th. A. Nr. 11. Stele: 1,75 hoch und 0,38 breit, ge-
funden 1848 in Karystos auf Euböa (*Ephem.* Nr. 2271. und
Bursian, Arch. und epigr. Nachlese, p. 196.). Darauf in
Relief eine stehende, männliche Figur in der Chlamys mit
Strigilis und Oelfläschchen. Hinten in Flachrelief ein Hund.
Oben die Inschrift: *Πρίκων*.

Unter den auf griechischen Grabsteinen sehr häufig
vorkommenden Darstellungen von Handlungen aus dem
täglichen Leben der Griechen finden wir auf Resten später
Kunst meistens das Familienmahl dargestellt, als einen
der bezeichnendsten Acte eines heiteren Lebensgenusses.
Die Idee, gerade eine solche Handlung zum Schmucke von
Grabsteinen zu gebrauchen, scheint uns so natürlich und
dem Wesen und Gemüthe der alten Griechen so angemessen, dass wir nicht begreifen können, wie gerade diese Darstellung vor allen anderen am meisten Erklärungsversuche
erfahren und so verschieden aufgefasst werden konnte. Man
muss zwar gestehen, dass sehr viele Schwierigkeiten in ihrer
Erklärung besonders dadurch bereitet wurden, dass unter
diesen Resten manche sind, auf welchen die dargestellten
Personen deutlich als Gottheiten bezeichnet werden, denen
sich die Gläubigen zum Opfer oder zum Gebete nahen; ein
Umstand, der Viele bewog, solche Reste nicht als Grabsteine, sondern als Anatheme aufzufassen, so Welcker, Alte
Denkm., II. p. 271 ff. und besonders Stephani, Ausruh.

Herakles, der die Unterschiede zwischen einem Anatheme
und einem Grabsteine betont, und auch Friedrichs, Pilostr.
Bilder, Zusatz am Ende, und sonst Andere. Indem man
aber ausser der Darstellung von Gottheiten auch das Fehlen
der Grabschrift gegen die Auffassung als Grabsteine hervor-
hebt, hat man ausser Acht gelassen, dass Grabsteine von
solcher mehr breiten als hohen Form mit Architrav ohne
Giebel in später Zeit sehr häufig sind und nur selten mit
Inschriften versehen vorkommen, was uns zu dem Schlusse
führt, dass solche Grabsteine nicht einzeln aufgestellt waren,
sondern entweder auf einer Basis ruhten, worauf die Inschrift eingegraben war, oder, was noch wahrscheinlicher
ist, zu grösseren Grabmonumenten gehörten. Ferner spricht
entschieden gegen die Erklärung als Anatheme ihr Fundort, indem diejenigen, deren Fundort bekannt ist, sich in
Gegenden vorfanden, denen wir unsere meisten und schön-
sten Grabsteine verdanken; so sind z. B. die Stelen in Thes.
Nr. 309. und besonders in Hadr. Stoa. Nr. 3200, 3201. in
der Nekropolis des Peiräeus gefunden. Deshalb stimmen wir
entschieden der Meinung derjenigen bei, welche wie Friedländer, a. a. O., p. 51., Visconti, O. Müller, Letronne und
Andere auch diese Darstellungen als Grabreliefe auffassen,
worauf der Verstorbene in Göttergestalt uns vor Augen
trifft, da besonders das Heroisiren der Verstorbenen in später Zeit sehr gewöhnlich war.

    Was nun die ganze Gattung solcher Darstellungen be-
tritt, so will O. Müller, Handb. §. 428, 2. Mahle der Todten
erkennen, Andere wieder, wie z. B. Rochette, Rink und Lebas erkennen Todtenmahle. Siegreich bekämpfen aber diese
Ansichten Friedländer, p. 50 ff. und Welcker, Alte Denkm.,
II. p. 232 ff., die mit vollem Rechte darin, wie sonst auf
den anderen Grabsteinen, eine gewöhnliche Handlung aus
dem täglichen Leben erkennen, d. h. das Familien-Mahl,

welches durch Hausthiere und das vor dem Mahle gebrachte
Opfer noch deutlicher bezeichnet wird, eine Ansicht, die
nach Jahn, Sitzungsberichte der K. Sächs. Ges. 1851. die
am meisten verbreitete ist.

Folgendes sind die in den verschiedenen öffentlichen
Sammlungen Athens erhaltenen Reste mit solchen Darstellungen:

1. Thes. Nr. 213. Stele mit Giebel, 0,50 hoch. Darauf
in rohem Relief eine männliche Figur auf einem Ruhebette
halbliegend; davor steht ein dreibeiniger Tisch mit Speisen.

2. Thes. Nr. 273. Platte aus weissem Marmor ohne Giebel, 0,50 breit und 0,26 hoch. Das Relief, dessen Oberfläche
stark beschädigt ist, ist von roher Arbeit. Auf der Kline
sehen wir in halb liegender Stellung eine stark beschädigte,
männliche Figur, die sich auf den linken Arm stützt; vor
ihr, wie gewöhnlich, ein Tisch. Sie streckt die Rechte aus
nach einer sich aufringelnden Schlange. Vor dem Tisch erscheint sehr verwischt die Figur eines Adorirenden (Ste
phani, Ausr. Herakles, p. 81., Nr. 17.).

3. Thes. Nr. 281. Platte, oben und unten mit einfachem
Gesimse versehen, 0,39 breit und 0,57 hoch: Vor einem
Manne, der in halbliegender Stellung auf einer Kline ruht,
steht ein dreibeiniger Tisch. Neben seinem Haupte sitzt auf
einem Stuhle eine Frau, den Schleier mit der Hand fassend.
Arbeit aus später Zeit:

$$\Sigma\ell\nu\delta\eta\ \chi\varrho\eta\sigma\pi\grave{\varepsilon}\ \text{(sic)}\ \chi\alpha\tilde{\iota}\varrho\varepsilon$$

(Welcker, Alte Denkm., II. p. 243., Nr. 9., Stephani,
a. a. O., p. 47., Nr. 1.).

4. Thes. Nr. 284. Gewöhnliche, nach oben sich verjün-
gende Stele mit Giebel, 0,58 hoch und 0,34 breit. Relief
aus später Zeit: Ein Mann liegt auf einer Kline, daneben
sitzt eine Frau; eine kleinere Figur, der Oenochoos, schöpft
aus einem auf einem Dreifuss stehenden, grösseren Gefässe

mit einem kleineren. Die Frau ist verschleiert; der Mann
hält in der Linken einen kleinen, viereckigen Gegenstand.
Vor der Kline steht ein dreibeiniger Tisch mit Speisen. Unten sehen wir die Worte eingegraben:

Κόϊντος Νοννεῖς | χϱηςστὲ χαῖϱέ.

Aus später Zeit stammend; abgeb. Stephani, a. a. O., Tf.
VII. Fig. 1. und besprochen p. 47., Nr. 2.

5. Thes. Nr. 285. Fragment; 0,24 breit, 0,33 hoch.
Mann mit Modius und Trinkhorn auf einer Kline, dabei ein
Tisch mit Speisen; Spuren einer daneben sitzenden Frau sind
noch zu unterscheiden (Stephani, a. a. O., p. 81., Nr. 18.).

6. Thes. Nr. 302. Marmorplatte, 0,41 breit und 0,27
hoch: Ein Mann mit einem Trinkhorne auf einer Kline;
vor ihm steht ein Tisch; zu den Füssen des Mannes sehen
wir auf der Kline eine verschleierte Frau sitzen. Zwei kleine
und zwei etwas grössere Figuren schreiten als Adorirende
hinzu.

7. Thes. Nr. 309. Marmorplatte, 0,48 hoch und 0,62
breit, auf welcher uns ein schönes Relief erhalten ist, wahrscheinlich aus guter römischer Zeit (gewöhnlich hier der
Tod des Sokrates genannt). Auf einer Kline sehen wir in
halbliegender Stellung einen Mann mit einer Schale in der
Rechten; ihm gegenüber sitzt auf einem Sessel eine Frau;
hinter der Frau steht ein nackter Jüngling, welcher aus
einem grossen Gefässe Wein schöpft, während hinter der
Kline eine langbekleidete, bärtige Figur steht. Unter der
Kline sehen wir einen liegenden Hund an Etwas nagen.
Gefunden wurde diese Platte 1838 im Peiräeus; abgebildet
und besprochen ist sie in der *Ephem.* Nr. 269 (auch besprochen von Welcker, a. a. O., Nr. 9*b*, und Stephani,
a. a. O., p. 81., Nr. 19.).

8. Thes. Nr. 325. Platte mit Relief von roher Arbeit:
Ein Mann liegt auf einer Kline, daneben sitzt eine Frau, die

einer stehenden, männlichen Figur die Hand reicht. In ihrer Nähe sehen wir zwei kleinere Figuren.

9. Thes. Nr. 333. Fragment einer Platte, 0,15 hoch. Ein Mann auf einer Kline halb liegend hält eine Schale, davor sitzt eine Frau; vor der Kline sehen wir auf einem dreibeinigen Tische, wie gewöhnlich Speisen aufgestellt, während eine nackte, männliche Figur daneben aus einem grossen Gefässe schöpft; unter dem Tische liegt eine Schlange (Welcker, a. a. O., Nr. 9*d.*, Stephani, a. a. O., p. 81., Nr. 20. und p. 47., Nr. 3.).

10. Thes., 337. Platte aus weissem Marmor, 0,64 hoch und 0,50 breit, in der gewöhnlichen Form der späten Zeit. Auf Säulen erhebt sich ein Bogen, der den Giebel trägt. Unten sehen wir noch einen Zapfen zum Festmachen des Grabsteines. Ein Mann ruht in halbliegender Stellung auf einer Kline, in der Rechten eine Schale haltend. Vor ihm steht ein Tisch mit zwei Beinen. Eine stark fragmentirte Frau sitzt auf einem Stuhle, neben ihr gewahren wir eine kleine weibliche Figur mit einer Ciste. An der Kopfseite des Liegenden steht *en face* eine stark beschädigte, männliche Figur, daneben eine kleinere. Unten stehen die Worte:

᾿Ερμία Ἀπολ | λοδώρου | Τύρις χρηστ | ὲ καὶ ἄλυ | πε χαῖρε.

(Welcker, a. a. O., Nr. 9*c.* und Stephani, a. a. O., p. 47., Nr. 4.).

11. Hadr. Stoa. Fragment einer Marmorplatte: sitzende Frau, daneben ein Oenochoos und ein Schweinchen.

12. 13. Hadr. Stoa. Nr. 3134. 3136. Zwei Fragmente. Vor einem Manne in halbliegender Stellung steht ein Tisch und Oenochoos; neben der Kline sitzt eine Frau; eine Schlange liegt unter dem Tische. Das eine zeigt noch überdies ein Schweinchen mit Opferknaben und einem Adorirenden (Stephani, a. a. O., p. 82., Nr. 23.).

15. Hadr. Stoa. Nr. 3200. Tafel aus weissem Marmor:

0,39 breit und 0,30 hoch, in der gewöhnlichen Grabsteinform bei solchen Darstellungen. Der Architrav wird getragen von Antenpfeilern. Auf der Kline sehen wir in halbliegender Stellung einen Mann mit dem Modius auf dem Kopfe und einem Füllhorn in der Hand; zu seinen Füssen sitzt eine Frau, die einen viereckigen Gegenstand in der Linken hält. Davor steht ein Tisch mit Speisen, unter welchem sich eine Schlange aufringelt. An der Kopfseite des Liegenden schöpft ein kleiner, nackter Oenochoos aus einem grösseren Gefässe; auf der anderen Seite sehen wir sechs Figuren, drei kleinere und drei grössere, ein Schweinchen zum Opfer führen. Oberhalb an der Ecke erscheint ein Pferdekopf. Gefunden wurde dieser Grabstein in der Nekropolis nördlich vom Peiräeus; abgebildet und angeführt in der *Ephem.* Nr. 853., Welcker, a. a. O., Nr. 6., Stephani, a. a. O., Tf. III. Fig. 1., p. 82., Nr. 24.

16. Hadr. Stoa. Nr. 3201. Aehnlich dem obigen, 0,53 breit und 0,39 hoch; nur fehlt die Schlange und statt sechs sehen wir sieben Adorirende hinzutreten. Der Fundort ist derselbe wie im vorigen, abgeb. und angeführt in der *Ephem.* Nr. 852. und Stephani, Tf. III, 2., p. 82.

17. Hadr. Stoa. Nr. 3336. Gut erhaltene Marmorplatte 1,73 hoch und 0,51 breit mit Gesims. Ein Mann liegt auf einer Kline, in der Rechten hält er einen Kranz; zu seinen Füssen sitzt eine Frau, die den Schleier hält. Davor steht ein dreibeiniger Tisch, dahinter eine kleine, nackte, männliche und eine andere, stark beschädigte Figur. An der Kopfseite des Liegenden sehen wir einen Oenochoos mit einem Gefässe in der Hand. Unten stehen die Worte:

Δημήτριε Ἀντι|οχεῦ ἀρχισαφφη.... | χρηστὲ χαῖρε.
Arbeit aus später Zeit (Stephani, p. 50., Nr. 20.).

18. Hadr. Stoa. Nr. 3613. Platte mit sehr rohem Hochrelief, welches ein Symposion darstellt (ob sepulcral?). Auf

einer Kline liegen zehn Figuren, theils männliche, theils weibliche; vor ihnen sind vier dreibeinige Tische mit Löwenfüssen aufgestellt; daneben zwei Kratere und kleine, stark beschädigte Figuren, von denen die eine beflügelt ist, als Oenochooen, während sich im Hintergrunde Cypressen zeigen. Die Köpfe der liegenden Figuren sind abgebrochen. Gefunden wurde diese Platte 1860 in Athen; sie erinnert an ähnliche Darstellungen auf Vasen.

19. Fragment von Stephani, p. 50., Nr. 21. angeführt.

20. Akr. Nr. 1190. Fragment einer Platte, 0,16 hoch und 0,26 breit. Oenochoos bei einem Krater (Stephani, p. 48., Nr. 6.).

21. Akr. Nr. 1191. Fragment einer Platte, 0,25 breit und 0,21 hoch. Theilweise erhalten ist eine halbliegende Figur; unter dem Tische sehen wir einen Hund; daneben sitzt eine Frau und ein Knabe bei dem Krater (Welcker, a. a. O., Nr. 9c. und Stephani, p. 48., Nr. 7.).

22. Akr. Nr. 1195. Fragment einer Platte mit rohem Relief, 0,26 breit. Oenochoos bei dem Krater, auf der anderen Seite eine stehende Figur, daneben zwei kleinere (Stephani, p. 48., Nr. 8.).

23. Akr. Nr. 1938. Fragment einer Platte, 0,17 breit. Von einer halbliegenden Figur sind noch einzelne Theile erhalten; vor ihr steht ein Tisch, unter welchem eine Schlange liegt. Der Oenochoos bei dem Krater (Stephani, p. 48., Nr. 9.).

24. Akr. Nr. 1939. Fragment einer 0,16 breiten Platte. Von der liegenden Figur sind noch einzelne Theile erhalten, daneben sehen wir einen Tisch und Oenochoos (Stephani, p. 49., Nr. 10.).

25. Akr. Nr. 1949. Stark beschädigte Platte: 0,32 hoch und 0,13 breit. Es sind noch einzelne Ueberreste einer halbliegenden Figur erhalten, die eine Schale in der Hand

hält. Daneben sehen wir einen Tisch und einen Krater (Stephani, p. 49., Nr. 11.).

26. Akr. Nr. 1950. Fragment, 0,26 hoch und 0,16 breit. Erhalten ist noch der Oberkörper einer liegenden Figur und theilweise ein Tisch (Stephani, Nr. 12.).

27. Akr. Nr. 1953. Fragment einer Platte, die uns einen halbliegenden Mann darstellt, zu dessen Füssen eine Frau sitzt, während der Oenochoos bei einem Krater steht.

28. Akr. Nr. 1955. Fragment einer Platte, auf der wir einen Oenochoos bei dem Krater und daneben drei kleine Adorirende sehen.

29. Akr. Nr. 1968. Fragment mit einem Manne auf einer Kline.

30. Akr. Nr. 1974. Gewöhnliche Platte von guter Erhaltung, aber roher Arbeit. Ein Mann mit Modius und Trinkhorn ruht auf einer Kline; ihm gegenüber sitzt eine Frau; zwei kleine, männliche Figuren nahen sich als Adorirende.

31. Akr. Nr. 1991. Fragment einer 0,31 hohen Platte. Erhalten ist noch der untere Theil einer liegenden Figur und ein Tisch mit Speisen (Stephani, Nr. 13.).

32. Akr. Nr. 2055. Fragment, 0,47 breit. Erhalten ist noch der untere Theil einer sitzenden Frau und theilweise der Tisch (Stephani, Nr. 14.).

33. Akr. Nr. 2056. Fragment, 0,21 breit. Theilweise nur erhalten ist eine Frau und ein Tisch (Stephani, Nr. 15.).

34. Akr. Nr. 2106. Fragment, 0,34 hoch und 0,20 breit. Erhalten ist bis auf den Kopf, der abgebrochen ist, ein Mann in halbliegender Stellung; daneben eine sitzende Frau und ein Tisch (Stephani, Nr. 16.).

35. Akr. Nr. 2132. Fragment, 0,34 hoch und 0,23 breit. Der untere Theil der liegenden Figur mit der Schale und der untere Theil der Frau, sowie der Tisch, sind noch erhalten (Stephani, Nr. 17.).

36. Akr. Nr. 2710. Stark beschädigte Platte, 0,26 hoch. Der untere Theil mit einer liegenden Figur, der Tisch mit einer Schlange darunter, sowie eine Ciste, die von der Frau gehalten wird, und ein Knabe mit einem Kruge sind noch erhalten (Stephani, Nr. 18.).

37. 38. Akr. Ziemlich fleissig gearbeitete Fragmente. Ein halbnackter Mann mit einer Schale ruht auf der Kline; vor ihm steht ein Tisch mit Speisen; daneben schöpft der Oenochoos aus einem Krater. Das eine wurde gefunden im Jahre 1859, das andere 1860 auf der Akropolis.

39. 40. 41. In der Sammlung der archäologischen Gesellschaft befindet sich ein Triklinium von roher Arbeit und zwei Fragmente davon, wie gewöhnlich.

42. Wahrscheinlich dazu zu rechnen ist auch ein Grabstein von eigenthümlicher Form: eine Art von Giebel wird getragen von einer Säule, die in der Mitte des Grabsteines sich befindet. Links vom Beschauer zeigt uns ein Greis, der in halbliegender Stellung auf einer Kline ruht mit einer Schale in der Hand; darüber die Inschrift: Γέλων; auf der anderen Seite erscheint eine stehende, männliche Figur mit den Zeichen der Trauer; darüber steht das Wort: Καλλί- στρατος. Der Grabstein ist unten abgebrochen, im Ganzen fleissig gearbeitet. Gef. in der Nekropolis bei dem Peiräeus; abgeb. in *Ephem.* Nr. 305; besprochen auch bei Rangabé, II., Nr. 1695.).

Ausser diesen in grosser Anzahl auf Grabsteinen erhaltenen Darstellungen finden wir auch in einzelnen Exemplaren Handlungen aus dem täglichen Leben dargestellt, wie z. B. die Jagd. Folgende Beispiele davon haben sich in den öffentlichen Sammlungen Athen's erhalten.

1. Hadr. Stoa. Nr. 3594. Gewöhnliche Stele mit Giebel, getragen von Antenpfeilern, zwischen denen wir ein Relief aus später Zeit finden: Ein Jüngling in der Chlamys

stürmt mit der Lanze gegen ein Wildschwein, das eben aus
einer Grotte hervortritt; zu seiner Seite hat er einen Hund,
der das Thier anbellt. Oben sehen wir einen Baum, an dem
ein Korb mit einer kleinen Ziege aufgehängt ist, während
auf der Höhe des Felsens ein Reh, an seinem Fusse eine
Ziege uns in die Augen fällt. Auf dem Giebel und Architrave finden wir folgende, späte Inschrift:

Ἀρτεμίδωρος Εἰσιγένου | Ἀριστοτέλης Βησσαιεύς
Ἀρτεμίδωρος Βησσαιεύς.

Gefunden 1839 südlich von den Ueberresten des olympischen
Zeus-Tempels, abgeb. *Ephem.* Nr. 601., Ross, Demen,
Nr. 63.).

2. Thes. 574. Auf einem Sarkophage später Zeit finden
wir in rohem Relief dargestellt eine Jagdscene mit Kentau-
ren, Hunden, Hasen und Löwen; daneben sehen wir einen
Baum, an welchem sich eine Schlange hinanwindet (Stephani, Ausr. Herakles, p. 101.).

3. Auf einem Sarkophage aus römischer Zeit, gef. 1852
im Hause Spiro Mylios im nördlichen Theile Athen's (Bursian in Gerhard's arch. Anz., 1854. p. 475 ff.) finden wir
an der Vorderseite neben einem Felsen und Baume einen
Löwen, gegen welchen ein jugendlicher Reiter anstürmt.
Nach der rechten Seite hin läuft ein Eber, auf den ein anderer Reiter ansprengt. An beiden Ecken sehen wir einen
Pinienbaum. An der rechten Seitenfläche zeigt sich uns eine
geflügelte Sphinx, die in den Vorderpfoten den Kopf eines
Schafes hält[1]), an der linken eine Löwe, der einen Stier
zerfleischt.

---

1) Nach Bursian, a. a. O., symbolische Darstellung des Alles ver-
wüstenden Todes. Wir möchten auch an das von Pausanias, II, 2, 4. angeführte Grabmal der Laïs in Korinth erinnern, worauf eine Löwin dargestellt war, wie sie einen Widder in den Vordertatzen hielt, nach
Becker, Charikles, I. p. 60. symbolische Darstellung ihres Lebens.

Nachdem wir in den oben angeführten Grabsteinen den
Verstorbenen in Handlungen des täglichen Lebens darge-
stellt gefunden haben, gehen wir jetzt mit einem weiteren
Schritte zu solchen Darstellungen über, welche uns den Ver-
storbenen zwar noch am Leben, aber doch schon mit den
Vorbereitungen zur Reise nach dem Jenseits beschäftigt
zeigen. Zuerst nun führen wir solche Monumente an, auf
denen eine Frau dargestellt ist, die entweder sich zur letzten
Reise schmückt oder ihr Kind einer Amme übergiebt. Die
Ciste, welche, wie wir sehen werden, nur selten bei der
Schmückung der Frau fehlt, enthielt den weiblichen Schmuck.
So sehen wir z. B. den Schleier und dergleichen daraus her-
vornehmen und können gewiss nicht der Ansicht einiger
Gelehrten beipflichten (wie Gerhard, *Annali*, I. p. 144.),
welche darin das zum Todtenopfer dienende Räucherwerk
und derartige Gegenstände enthalten glauben. Bemerkens-
werth bei solchen Darstellungen ist die zierliche Art, wie
die Frau mit der rechten oder linken Hand den Schleier
fasst (Gerhard, *Annali*, IX. 122.). Wir können diese Bewegung, obwohl sie auch oft auf Denkmälern, besonders der
älteren Zeit griechischer Kunst vorkommt, bei Grabreliefen
nicht für sinnlos angebracht halten, sondern müssen ihr entschieden einen symbolischen Sinn beilegen. Zoëga, *Bassi-
rilievi Ant.* II, Tf. 43. ist der Ansicht, die Verschleierung
bedeute eine Frau, die ausserhalb des Hauses sich befinde;
eher möchte ich aber in dieser Bewegung und in der Verschleierung das Sterben selbst, d. h. den Act, der uns auf
ewig herausreisst aus dem Kreise von Freunden und Verwandten, symbolisch ausgedrückt erkennen, indem durch
das Halten des Schleiers ein Moment vor der gänzlichen
Verschleierung, dem Sterben nämlich, bezeichnet wird. Die
auf solchen Reliefs oft dargestellten Arbeitskörbe der Frauen,
ein beredtes Zeichen ihrer Arbeitsamkeit, finden wir meistens

47

unter ihrem Stuhle, manchmal auch auf dem Giebel angebracht ¹). Folgendes sind die Grabreliefen dieser Gattung in

1) Seit Thiersch (Epochen der bild. Kunst, p. 426.) liebt man solche
Darstellungen, auf welchen der Arbeitskorb unter einer sitzenden Frauen-
gestalt dargestellt ist, als Penelope aufzufassen, indem man ausser Augen
lässt, dass der Arbeitskorb als ehrendes Zeichen der Arbeitsamkeit jeder
Frau gern beigegeben wurde. Dies beweisen mit schlagender Sicherheit
die uns erhaltenen Grabsteine mit solchen Darstellungen. Ferner hat
man ausser Augen gelassen, dass, wenn nicht sichere Kennzeichen ein
aus Griechenland stammendes Relief als eine Darstellung aus den mythologischen Kreisen mit Sicherheit bezeichnen, man eher darin eine
zum Schmucke eines Grabmales dienende Darstellung aus dem täglichen Leben wird erkennen müssen, da man bedenken muss, welchen
ausgedehnten Gebrauch solche Grabsteine hatten. Dieses vorausgesetzt,
wird man mit mir gewiss übereinstimmen, wenn ich jede beliebige Re-
liefdarstellung, welche uns auch nur im entferntesten an solche Darstellungen auf griechischen Grabsteinen erinnert, wenn nicht sichere Kennzeichen dagegen sprechen, als eine dem täglichen Leben entlehnte zu erklären vorziehe. Als Beispiel sei hier das von R. Rochette, *Mon. inéd.*,
pl. 71, 1. und Welcker, Alt. Denkm., II, Tf. XI, 18. als Homer und Penelope erklärte Relief angeführt. Die ganze Form des Steines erinnert
uns erstens sogleich lebhaft an ähnliche Grabsteine; ferner ist sowohl
die Verschleierung der Frau, als auch die nackte Brust des Mannes das
Allergewöhnlichste bei Darstellungen auf Grabsteinen. Was den Arbeitskorb unter dem Stuhle der Frau und den Greifen zum Schmuck des
Stuhles des Mannes betrifft, so glauben wir ganz einfach auf viele uns
erhaltene Reste von Grabsteinen mit solchen Darstellungen verweisen zu
können. Auch die beiden kleinen, nackten, männlichen Figuren in der
Mitte lassen sich ganz natürlich nach Analogien als Dienende erklären.
Die Herme sowohl als die theatralische Maske lassen uns den sitzenden
Mann als gefeierten Dichter oder Schauspieler erkennen, während die
Lanze und das Schwert ihn auch als Krieger bezeichnen (wir brauchen
nur an Aeschylus und überhaupt an das Leben der alten Griechen zu erinnern, welche ja alle in ihrer Jugend Kriegsdienste verrichtet haben).
Endlich bezeichnet die hinter der sitzenden Frau schlafende Figur nach
meiner Ansicht die sitzende Frau als die Verstorbene, was ja auch durch
ihre Verschleierung noch deutlicher hervorgehoben wird, indem es sich
sehr leicht erklärt, dass der überlebende Gatte seiner verstorbenen Gattin
dieses Denkmal gesetzt hat, auf welcher er sich sowohl als Dichter als
auch als Krieger darstellen lässt.

den verschiedenen öffentlichen Sammlungen Athens, welche
ich mir notirt habe.

1. Thes. Nr. 39. Unten abgebrochene Stele mit Giebel,
getragen Antenpfeilern 0,55 hoch und 0,42 breit; gefunden 1836 in der nördlich vom Peiräeus befindlichen Nekropolis (*Ephem.* Nr. 308., auch Nr. 2734; Rangabé, II,
Nr. 1956.). In Hochrelief sehen wir eine sitzende, verschleierte Frau; vor ihr steht eine langbekleidete, weibliche
Figur, die Etwas hält, nach Rangabé einen Vogel, nach
Pittakis ein kleines, eingewickeltes Kind, was mir das rich-
tigere scheint. Die Arbeit ist aus der besten Zeit griechischer Kunst; leider sind die Köpfe stark beschädigt. Oben
steht die Inschrift:

$$\mathit{'Εϱήνη \cdot \ Βυζαντία};$$

und daneben Worte in phönikischer Sprache, nach S. de
Saulcy Uebersetzung des griechischen.

2. Thes. Nr. 66. Fragment mit einer weiblichen Figur,
die eine Ciste in der Hand hält.

3. Thes. Nr. 71. Stele mit Giebel, 0,50 hoch und 0,30
breit. In viereckigem, vertieftem Felde sehen wir ein Relief von roher Arbeit, eine sitzende Frau darstellend, der
eine kleine, stehende, weibliche Figur eine Ciste darreicht.
Oben finden wir die fragmentirte Inschrift:

$$\ldots\ldots \mathit{ωμαια \ χϱηστή} \ | \ \mathit{χαῖϱε}.$$

4. Thes. Nr. 197. Auf einer marmornen Hydria, 0,55
hoch, deren Ober- und Untertheil abgebrochen ist, sehen
wir in Flachrelief eine sitzende Frau; vor ihr eine kleine,
weibliche Figur und ein Kind; abgebildet *Ephem.* Nr. 890.;
gefunden 1838 in der Nekropolis des Peiräeus.

5. Thes. Nr. 270. Gewöhnliche Stele mit Giebel, getragen von Antenpfeilern, 0,45 breit; der untere Theil ist
abgebrochen. In Hochrelief aus guter Zeit sehen wir eine
stehende, weibliche Figur, die einen Gegenstand, wie einen

grossen Ring, einer vor ihr stehenden, weiblichen Figur
darreicht. Oben steht eine fragmentirte Inschrift:

..... ιστομάχη Ἀριχίωνος Τριχορυζίου.

6. Thes. Nr. 301. Stele mit Giebel, 0,85 hoch und 0,33
breit. Auf vertieftem, viereckigem Felde ist eine sitzende
Frau dargestellt, die ein Kind auf ihrem Schoosse trägt; ein
kleiner Knabe schmiegt sich an ihre Kniee; gegenüber sitzt
ebenfalls eine Frau, während in der Mitte ein Mann in langer
Gewandung steht. Das Ganze ist von gewöhnlicher Arbeit;
unten steht eine stark fragmentirte, unleserliche Inschrift.

7. Thes., 308. Stele ohne Giebel, 0,44 hoch und 0,22
breit. In vertieftem Felde ist ein Relief angebracht von sehr
nachlässiger Arbeit: Einer sitzenden, verschleierten Frau,
unter deren Sessel wir einen Arbeitskorb erblicken, reicht
eine gegenüberstehende, kleine, weibliche Figur eine Ciste.
Oben die Worte:

'Ἡραχλῆα | χρηστή | χαῖρε. —

8. Thes. Nr. 320. Herrliche Stele mit Giebel, getragen
von Antenpfeilern, 1,55 hoch und 0,90 breit. Das Hochrelief aus der guten Zeit griechischer Kunst mit Figuren, die etwas unter Lebensgrösse sind, ist gut erhalten:
Wir sehen darauf eine sitzende Frau in reicher Gewandung,
auch Spuren von Ohrringen, an der die nackten Theile
besonders fleissig ausgeführt sind. Ein Knabe schmiegt sich
an ihre Kniee mit einem Vogel in der Hand. Gegenüber steht
eine Frau mit offener Ciste, aus der die Sitzende einen
Schleier herausnimmt. Oben auf dem Architrave stehen die
Worte:

'Ἐνθάδε τὴν ἀγαθὴν καὶ σώφρονα γαῖ' ἐκάλυψεν
Ἀρχεστράτην ἀνδρὶ ποθηνοτάτην.

9. Thes. Nr. 391. Gewöhnliche Stele, 0,85 hoch und
0,80 breit; der Architrav, der von Antenpfeilern getragen
wird, ist mit Ornamenten verziert. Dargestellt ist eine

Pervanoglu, Grabsteine.   4

sitzende, verschleierte Frau, die in der Rechten den Zipfel ihres Schleiers fasst; während vor ihr eine Frau steht, die ebenfalls in der Rechten ihren Schleier hält.

10. Thes. Nr. 579. Gewöhnliche Stele mit Giebel, der von Antenpfeilern getragen wird. In Hochrelief sehen wir eine stehende, verschleierte Frau, welcher eine vor ihr stehende Dienerin die Sandalen anbindet. Gegenüber steht eine andere Frau mit einer Ciste. Das Ganze ist 1,37 hoch und 0,70 breit; die Arbeit aus der besten Zeit. Oben auf dem Architrave:

Ἀμεινόκλεια Ἀνδρομένους θυγάτηρ . . . . .

Die nämliche Grabinschrift finden wir auch auf einem anderen Grabsteine (*Ephem.* Nr. 1743.).

11. Thes. Nr. 603. Stele mit Giebel, 1,40 hoch und 0,42 breit. Das Eigenthümliche an diesem Monumente ist das, dass unterhalb des Giebels in niedrigem Flachrelief eine Tänie dargestellt ist, welche um die Stele gewunden ist. Auf vertieftem, viereckigem Felde zeigt sich uns ein Flachrelief, welches eine stehende, verschleierte Frau darstellt, zu deren Rechten uns eine kleine, weibliche Figur mit Ciste und Fächer erscheint. Das Ganze ist von ziemlich fleissiger Arbeit. Unten steht die Inschrift:

Λάμπρον. | *Στυμφαλία γυνὴ δὲ* | *Σαραπίωνος χρηστὴ χαῖρε* |

12. Thes. Nr. 604. Herrliches, nur leider fragmentirtes Relief, das wahrscheinlich zu einer Stele mit Giebel und Antenpfeilern gehörte; da diese Stücke aber schon im Alterthume neu hinzugesetzt waren, so ist es leicht erklärlich, dass sie verloren gegangen sind. Das Erhaltene ist 1,36 hoch und 0,90 breit. Das Hochrelief von schöner Arbeit stellt uns Figuren in halber Lebensgrösse dar: Auf reichverziertem Sessel sitzt eine verschleierte Frau, die den Zipfel ihres Schleiers fasst; dahinter sind noch Spuren von einer

stehenden, weiblichen Figur erhalten. Vorn sehen wir zwei
Frauen, von denen die eine ein Knäblein trägt, das in Win-
deln eingewickelt ist und einen eigenthümlichen, spitzen
Hut auf dem Kopfe trägt. Das Monument ist 1839 in der Nekropolis des Peiräeus gefunden; abgebildet *Ephem.* Nr. 468.;
auch in Gerhard's Arch. Ztg., 1845, Tf. 34. und Curtius,
p. 143.; sowie auch im *Bulletino dell' Inst.*, 1840, p. 67.
angeführt. Nach Panofka stellt es die Geburt des Her-
mes dar.

13. Akropolis, am Eingange aufgestellt. Herrliche
Stele der guten Zeit mit Giebel, der von Antenpfeilern
getragen wird. Ein Hochrelief, zum Theile fragmentirt,
zeigt uns eine reich gekleidete Frau, die auf einem Sessel
sitzt; vor ihr steht eine Frau, deren Kopf abgebrochen ist,
mit einer Ciste in der Hand; in der Mitte sehen wir eine
kleine Figur. Oben auf dem Architrave: *Φρασίκλεια*. Aufgefunden wurde dieses Monument in guter Erhaltung wenige Jahre vor dem griechischen Befreiungskriege an der
Stelle des acharnischen Thores; abgebildet und besprochen
von Stackelberg, Gräber d. Hell. Taf. . und sonst.
Während des Befreiungskrieges ging es verloren und wurde
nachher nur theilweise wieder aufgefunden, so der obere
Theil im Jahre 1859 auf der Akropolis. .

14. Akropolis, am Eingange: Stele mit Giebel. Auf vertieftem Felde sehen wir eine stehende Frau; daneben eine
kleine Figur mit einer Ciste. Späte Arbeit.

15. Akr. Nr. 2546. Auf einer fragmentirten Vase gewahren wir in Flachrelief einen Mann und eine Frau, daneben
noch eine andere weibliche Figur mit einem Kinde; alle drei
Personen sind stehend dargestellt. Oberhalb derselben finden wir eine halbverwischte Inschrift:

. . . . *Καλλιστρατία Τιμόδημος* . . . .
(*Ephem.*, 2857.).

4*

16. Hadr. Stoa. Stele mit gewöhnlichem Relief: Dargestellt ist eine sitzende Frau, vor der eine kleine Figur mit Ciste steht, während hinter ihr eine andere, verschleierte, weibliche Figur, ebenfalls stehend, uns in die Augen fällt.

17. Hadr. Stoa. Nr. 3135. Stele mit Giebel. In Flachrelief sehen wir eine sitzende Frau, die mit der Rechten den Schleier fasst; eine kleine Figur vor ihr reicht ihr Etwas dar. Oben auf dem Giebel ist in Flachrelief ein Hund dargestellt. Die Arbeit aus guter Zeit; die Inschrift: *Εὐταμία*.

18. Hadr. Stoa. Nr. 3382. Fragment: Sitzende Frau mit abgebrochenem Kopfe und Untertheil; daneben eine kleine Herme.

19. Hadr. Stoa. Nr. 3578. Fragment: Sitzende Frau, unter deren Sessel wir einen Arbeitskorb bemerken.

20. Hadr. Stoa. Nr. 3601. Fragment von fleissiger Arbeit. Eine sitzende Frau nimmt aus einer Ciste Etwas heraus.

21. Hadr. Stoa. Nr. 3611. Grabvase. Darauf sehen wir in Flachrelief eine sitzende, verschleierte Frau, welche aus einer Ciste, die ihr eine davorstehende, kleine Figur darreicht, Etwas herausnimmt. Hinter der sitzenden Frau gewahren wir noch eine stehende, während gegenüber ein Mann ebenfalls steht. Oben finden wir eine fragmentirte Inschrift:

..... *ιε* ... *ς Λυσιμάχη Χρυσανθίς*.

22. Hadr. Stoa. Nr. 3356. Fragment mit einer stehenden Frau *en face* und einer kleinen Figur daneben, welche eine Ciste hält.

23. Hadr. Stoa, 3395. Stele, welche uns eine stehende Frau zeigt; neben ihr eine kleine Figur mit einem Fächer in Form eines Epheublattes [1]).

---

1) Das Epheublatt in den Händen von Frauen häufig auf Grabreliefs, sowie auch kleinen Terracottafiguren beigegeben hatte wahrscheinlich sepulcrale Bedeutung.

24. Thurm A., 19. Eine sitzende Frau mit einem Kinde auf dem Schoosse. Späte Arbeit.

25. Arch. Ges. Fragment mit einer sitzenden Frau, vor welcher wir eine Hand mit einer Schale erhalten sehen.

26. Arch. Ges. Fragment von runder Oberfläche, 0,53 hoch und 0,30 breit. Darauf sehen wir in Flachrelief eine sitzende Frau dargestellt, die auf ihrem Schoosse ein Kind hält, während unter dem Sessel ein Arbeitskorb angebracht ist. Vor ihr auf der Erde ist eine schlanke Lekythos aufgestellt, daneben hangt eine Ciste.

27. Arch. Ges. Stele, deren Untertheil abgebrochen ist, aus dem Peiräeus. Darauf sehen wir in fleissig gearbeitetem Relief eine Frau, welche eine kleine, vor ihr stehende Figur mit der Rechten unter das Kinn fasst, während sie ihre Linke auf das Haupt derselben legt, wahrscheinlich in der Absicht, sie zu schmücken. Oben finden wir die Worte angebracht:

$$Μυρτίχη \ Φαναγόρου.$$

28. Arch. Ges. Stele mit abgebrochenem Untertheil, aus dem Peiräus stammend. Wir sehen darauf eine kleine, stehende Figur einer sitzenden Frau eine Cymbel darreichen (als Zeichen des Dienstes der Göttermutter). Oben:

$$. . . . . χρ . . . \ | \ Καριέως \cdot$$

Nach den Rosetten finden wir folgende Inschrift:

$$Μητρὸς \ παντοτέκνου \ πρόπολος \ σεμνή \ τε \ γεραιρὰ \ τῷδε$$
$$τάφῳ \ κεῖται \ Χαιρεστράτην \ ὁ \ σύνευνος \ ἔστεργεν \ μὲν \ ζῶσαν$$
$$ἐπένθησε \ δὲ \ θανοῦσαν \ Φῶς \ δ᾽ \ ἔλιπ᾽ \ εὐδαίμον᾽ \ παῖδας$$
$$παίδων \ ἐπιλιποῦσα.$$

Einen Moment vor dem Sterben selbst vergegenwärtigen uns auch die auf Grabsteinen vorkommenden Darstellungen des letzten Abschiedes[1]), wo wir den Verstorbe-

---

1) Friedländer, a. a. O., p. 31. führt zwar einzelne Beispiele an,

nen, umgeben von Freunden und Verwandten seine Hand
zum letzten Scheidegrusse ausstrecken sehen. Von keiner
der zum Schmucke alter Grabsteine gebräuchlichen Darstel·
lungen sind uns so viele Reste erhalten, wie von dieser, was
uns zu dem Schlusse führt, dass sie sowohl zur Blüthezeit
griechischer Kunst als auch in späteren Zeiten die aller-
gebräuchlichste war. Verschieden und mannichfaltig finden
wir diese Darstellung auf den uns erhaltenen Grabsteinen,
aber immer tritt uns das Handreichen vor Augen und zwar
meistens zwischen einer sitzenden und einer stehenden Figur,
was die Archäologen früher (so z. B. Welcker, Bonner
Kunstmus., p. 122., Nr. 394., Rink, Kunstblatt, 1828,
Nr. 42, 7., O. Müller, Handb., Gerhard und Andere) bewog,
die sitzende Figur für den Verstorbenen zu halten, wieder
Andere (Visconti, P. Clem., V, p. 36. u. A.), die stehende
Figur als solchen aufzufassen. Erst in späterer Zeit und zwar
seit Friedländers gründlicher Untersuchung hat man einge-
sehen, dass die Alten ohne Unterschied Verstorbene wie
Überlebende sowohl sitzend wie auch stehend darstellten.
Das Einzige, was wir aus den uns erhaltenen Resten deutlich ersehen können, ist, dass die Frauen wegen ihrer
gesellschaftlichen Stellung meistens sitzend dargestellt sind:
man würde sich aber gewiss irren, wenn man mit Curtius
(Jen. Litt. Ztg., 1842.) behaupten wollte, sie seien immer
sitzend dargestellt gewesen.

Folgendes sind die uns erhaltenen Reste mit dieser Darstellung, welche sich in den öffentlichen Sammlungen Athens
befinden.

---

wo der Abschied des Verstorbenen von den Ueberlebenden nicht als der
letzte deutlich bezeichnet ist; doch lässt uns die Masse der sonstigen
Reste mit Darstellungen des letzten Abschiedes dies als die Grundidee
dieser Darstellungen mit Sicherheit erkennen.

1. Thes. Nr. 25. Stele mit Giebel, der auf viereckigen Säulen ruht, 1,45 hoch und 0,90 breit. Das Relief ist aus der Blüthezeit griechischer Kunst, leider aber stark fragmentirt. Erhalten ist noch der Kopf einer sitzenden, weiblichen Figur, welcher eine davorstehende, männliche Figur die Hand reicht, während wir im Hintergrunde in der Mitte eine stehende, weibliche Figur unterscheiden.

2. Thes. Nr. 45. Fragment einer Stele mit Anthemion, 0,70 hoch, die linke Seite ist abgebrochen. In Relief sehen wir eine sitzende Frau, dte ihre Hand Jemandem reicht. Oben steht eine fragmentirte, unleserliche Inschrift.

3. Thes. Nr. 82. Oben und unten abgebrochene Hydria, ein Meter hoch, mit Flachrelief von gewöhnlicher Arbeit: Eine weibliche, stehende Figur fasst den Schleier, eine ebenfalls stehende, männliche reicht ihr die Hand; dazwischen sehen wir einen Knaben und ein Hündchen, das an die Frau hinanspringt, während sich uns hinten eine weibliche, stehende Figur mit Ciste zeigt.

4. Thes., 147. Hydria mit Flachrelief von ziemlich fleissiger Arbeit. Wir sehen darauf eine sitzende, weibliche Figur, die sich mit dem Ellenbogen auf die Lehne des Stuhles stützt; eine vor ihr stehende, männliche Figur reicht ihr die Hand. Auf beiden Seiten sehen wir eine stehende, männliche Figur, die eine hinter dem Stuhle tief in den Mantel gehüllt. Die Köpfe aller Figuren sind theilweise beschädigt.

5. Thes. Nr. 149. Zweihenklige, oben fragmentirte Vase, 0,65 hoch, mit Flachrelief: Eine sitzende Frau nimmt Abschied von einem vor ihr stehenden Krieger im Panzer, dessen Knappe ihm Schild und Helm nachträgt. Oberhalb der Frau lesen wir die Inschrift:

$$Κτησίλλα,$$

oberhalb des Mannes:

$$Μειδίας \mid Δεινίου \mid ^{"}Ωαθεν \mid .$$

Gefunden 1839 in einem Dorfe Attikas, abgebildet *Ephem.*
Nr. 220., Rangabé, *Ant. hell.*, II. Nr. 1572.

6. Thes. Nr. 151. Hydria, 0,50 hoch, oben abgebrochen,
mit Flachrelief von gewöhnlicher Arbeit: Eine sitzende
Frau -nimmt Abschied von einer vor ihr stehenden weiblichen Figur. Oben lesen wir:

Κομαλλίς . Νεοφίδη.

Gefunden im nördlichen Theile Athens (*Ephem.*, Nr. 889.,
Rangabé, II. Nr. 1737.).

7. Thes. Nr. 154. Zweihenkelige Vase, 0,80 hoch, mit
Flachrelief von gewöhnlicher Arbeit: Ein bärtiger, sitzender
Mann reicht die Hand einem vor ihm stehenden Jünglinge,
hinter welchem wir eine trauernde, bärtige Figur sehen,
während hinter dem Sitzenden eine trauernde Frau uns in
die Augen fällt. Die Inschrift ist unleserlich.

8. Thes. Nr. 157. Stele mit Giebel, 0,85 hoch und 0,34
breit. Das Relief zeigt uns eine sitzende Frau, welche einer
bärtigen, ebenfalls sitzenden Figur vor ihr die Hand reicht;
hinter der Frau steht ein bärtiger Mann in langer Gewandung; hinter dem sitzenden Manne sehen wir eine stehende
Frau, die den Zipfel ihres Schleiers fasst. Auf dem Giebel
steht die Inschrift:

Καλλίμαχος | Βρίσις | Δάϊππος | Ἀμφίπολις |
Gefunden in der Nekropolis des Peiräeus (*Ephem.* Nr. 2167.).

9. Thes. Nr. 161. Stele, 0,93 hoch und 0,36 breit, mit
rohem Relief: Eine sitzende, weibliche Figur reicht einem
vor ihr stehenden Manne die Hand; hinten bemerken wir
noch eine andere, stehende Figur. Inschrift:

Ἀσπάσιος Αἰσχίνου Σκαμβωνίδης
Εὔκλεια Σωστράτη Ἀσπασία
Αἰσχίνης Ἀσπασίου Σκαμβωνίδης.

Gefunden im Peiräeus (*Ephem.* Nr. 715., Rangabé, II.
Nr. 1617.).

10. Thes. Nr. 244. Hydria mit abgebrochenem Obertheil, 0,50 hoch. Das Flachrelief von gewöhnlicher Arbeit stellt eine sitzende Frau dar, welche einer vor ihr stehenden, die Etwas in der Hand hält, die Hand reicht; dahinter erscheint eine kleine Figur, welche aber fast gänzlich verwischt ist.

11. Thes. Nr. 248. Hydria, die oben und unten ab-gebrochen ist, 0,70 hoch, mit Flachrelief von guter Arbeit: Ein stehender Mann reicht einem vor ihm ebenfalls stehen-den Manne die Hand; dahinter steht eine Frau.

12. Thes. Nr. 251. Zweihenkelige Vase, oben abge-brochen, 0,82 hoch mit Flachrelief von ziemlich fleissiger Arbeit. Zwei stehende, bärtige Männer reichen sich die Hand; auf beiden Seiten unterscheiden wir noch eine kleine, aber fast gänzlich verwischte Figur. Oben steht die Inschrift:

Πολυκλῆς Πολυκράτης.

(Lebas, *Voyage archéol.* p. 81.).

13. Thes. Nr. 255. Hydria, deren unterer Theil ab-gebrochen ist, 1,05 hoch. Wir finden darauf in Flachrelief von gewöhnlicher Arbeit eine sitzende Frau, die von einem vor ihr stehenden, bärtigen Manne Abschied nimmt, während in der Mitte, etwas im Hintergrunde, eine andere Frau steht. Oben steht die Inschrift:

Ἀριστοκλῆς | Ξυπεταίων | Γοργώ | Ἀριστονίκη.

Gefunden 1830 auf der Insel Salamis (*Ephem.* Nr. 608. und Rangabé, II. Nr. 1568.).

14. Thes. Nr. 263. Fragment einer Stele, 0,48 breit. Das Flachrelief von fleissiger Arbeit zeigt uns einen sitzen-den Mann, der einer vor ihm stehenden Frau die Hand reicht.

15. Thes. Nr. 269. Stele, oben abgebrochen, 0,53 breit. Das Flachrelief in vertieftem, viereckigem Felde ist schön gearbeitet und stellt in der Mitte eine sitzende Frau

mit abgebrochenem Obertheile dar, welche einer vor ihr stehenden, undeutlichen Figur die Hand reicht; dahinter steht ein trauernder Greis. Unten lesen wir die Inschrift:

$$\Sigma\tilde{\omega}\mu\alpha\ \mu\grave{\varepsilon}\nu\ \grave{\varepsilon}\nu\vartheta\acute{\alpha}\delta'\ \check{\varepsilon}\chi\varepsilon\iota\ \sigma\grave{o}\nu,\ \varDelta\acute{\iota}\varphi\iota\lambda\varepsilon,\ \gamma\alpha\tilde{\iota}\alpha\ \vartheta\alpha\nu\acute{o}\nu\ (\tau o\varsigma)$$
$$M\nu\tilde{\eta}\mu\alpha\ \delta\grave{\varepsilon}\ \sigma\tilde{\eta}\varsigma\ \check{\varepsilon}\lambda\iota\pi\varepsilon\varsigma\ \pi\tilde{\alpha}\sigma\iota\ \delta\iota\kappa\alpha\iota o\sigma\acute{v}\nu\eta\varsigma.$$

Gefunden 1837 an der Nekropolis des Peiräeus (*Ephem.* Nr. 423., Rangabé, II. Nr. 2209.).

16. Thes. Nr. 299. Stele mit Giebel, der auf Säulen ruht, 0,80 hoch und 0,41 breit, aus römischer Zeit. Unter dem Giebel finden wir Triglyphen und Metopen, welche mit Stierköpfen, Panzern und Helmen in Relief verziert sind. Unten ist noch ein Zapfen erhalten zur Befestigung des Grabsteines auf einem Felsen oder sonst wo. Das Hochrelief in der Mitte zeigt uns eine männliche Figur, welche ihre Linke auf eine männliche Herme stützt, die Rechte einer vor ihr stehenden Frau reicht; daneben sitzt noch eine männliche Figur. Unten steht auf beiden Seiten eine Inschrift; die auf der einen ist fragmentirt, die auf der andern lautet:

$$\varLambda\varepsilon\acute{v}\kappa\iota\varepsilon\ |\ \varPi\alpha\kappa\acute{\omega}\nu\iota\varepsilon\ |\ \varPi o\pi\lambda\acute{\iota}ov\ v\grave{\iota}\grave{\varepsilon}\ |\ \chi\alpha\acute{\iota}\varrho\varepsilon\tau\varepsilon.\ |$$

17. Thes. Nr. 311. Stele mit Giebel, 0,90 hoch und 0,40 breit; das Relief ist aus später Zeit und stellt eine sitzende Frau dar, die von einem vor ihr stehenden Manne Abschied nimmt; hinter der Frau sehen wir eine kleine, weibliche Figur mit Ciste, hinter dem Manne eine kleine, männliche Figur mit einem Ringe, woran verschiedene palästrische Gegenstände, Strigilis, Oelfläschchen und dergleichen befestigt sind. Unten:

$$\varLambda\tilde{v}\lambda\varepsilon\ldots\ |\ Ko\acute{\iota}\nu\tau ov\ {}^{\backprime}P\omega\mu\alpha\tilde{\iota}\varepsilon\ \chi\varrho\eta\sigma\tau\grave{\varepsilon}\ \chi\alpha\tilde{\iota}\varrho\varepsilon.$$

18. Thes. Nr. 313. Fragment mit einem Hochrelief, welches uns zwei Hände zeigt, die einander umschlungen halten.

19. Thes. Nr. 352. Stele mit Giebel, 0,72 hoch und

0,34 breit. Das Relief darauf ist von roher Arbeit (die nähere Beschreibung siehe unter den Darstellungen von Schiffbrüchigen Nr. 4.).

20. Thes. Nr. 353. Stele mit Giebel, der von Säulen und einem Bogen getragen wird, 0,37 breit, aus später Zeit. Eine sitzende Frau reicht einem vor ihr stehenden Manne die Hand, hinter dem Manne steht eine Frau; davor ist eine Leier aufgehängt.

21. Thes. Nr. 355. Stele mit Giebel, 0,63 hoch und 0,34 breit, aus später Zeit. Das Relief zeigt uns eine sitzende Frau, welche einem vor ihr stehenden Manne die Hand reicht; daneben steht eine kleine weibliche Figur mit einer Ciste; hinter der sitzenden Frau erscheint uns ein Gegenstand, wie ein Gitter. Unten stehen die Worte:

$Z\acute{\eta}\nu\omega\nu \mid Z\acute{\eta}\nu\omega\nu\sigma\varsigma \mid A\nu\tau\iota\sigma\chi\varepsilon\tilde{v} \mid \chi\varrho\eta\sigma\tau\grave{\varepsilon} \chi\alpha\tilde{\iota}\varrho\varepsilon.$

$...\varrho\tilde{\omega}\tau\iota\varsigma \mid Z\acute{\eta}\nu\omega\nu\sigma\varsigma \mid A\nu\tau\iota\acute{v}\chi\iota\sigma\sigma\alpha \mid \chi\varrho\eta\sigma\tau\grave{\eta} \chi\alpha\tilde{\iota}\varrho\varepsilon.$

22. Thes. Nr. 367. Stele mit Giebel, der auf Säulen und einem Bogen ruht, 0,85 hoch und 0,49 breit. Das Hochrelief aus römischer Zeit zeigt uns eine sitzende Frau, die ihre Hand einem vor ihr stehenden Manne reicht; dahinter eine andere männliche Figur. Unten lesen wir:

$A\tilde{v}\lambda\varepsilon \text{ } 'E\gamma\nu\acute{\alpha}\tau\iota\varepsilon \mid A\lambda\acute{\varepsilon}\xi\alpha\nu\delta\varrho\varepsilon \mid \chi\varrho\eta\sigma\tau\grave{\varepsilon} \chi\alpha\tilde{\iota}\varrho\varepsilon.$

$A\tilde{v}\lambda\varepsilon \text{ } 'E\gamma\nu\acute{\alpha}\tau\iota\varepsilon \mid \chi\varrho\eta\sigma\tau\grave{\varepsilon} \chi\alpha\tilde{\iota}\varrho\varepsilon.$

(*Ephem.* Nr. 309.).

23. Thes. Nr. 381. Stele mit Giebel, der von Säulen und einem Bogen getragen wird. Das Relief ist von roher Arbeit. Ein sitzender Mann nimmt Abschied von einer vor ihm stehenden Frau; in der Mitte im Hintergrunde steht eine andere Figur, daneben noch eine kleinere. Unten:

$A\nu\sigma\acute{\iota}\mu\alpha\chi\sigma\varsigma \mid A\nu\sigma\iota\mu\acute{\alpha}\chi\sigma\nu \mid .....\iota\varepsilon \text{ } \chi\varrho\eta\sigma\tau\grave{\varepsilon} \chi\alpha\tilde{\iota}\varrho\varepsilon.$

$A\nu\sigma\iota\mu\acute{\alpha}\chi\eta \mid A\nu\sigma\iota\mu\acute{\alpha}\chi\sigma\nu \mid \chi\varrho\eta\sigma\tau\grave{\eta} \chi\alpha\tilde{\iota}\varrho\varepsilon.$

24. Thes. Nr. 390. Grabstele, wie die vorige, 0,70 hoch und 0,47 breit. Das rohe Relief zeigt uns eine sitzende

Frau, welche Abschied nimmt von einer vor ihr stehenden Frau; daneben eine kleine, dienende Figur. Untèn:

Διοδώρα Ἀφροδισίου | θυγάτηρ Ζωΐλου δὲ | Ἀθηναίου γυνή.

25. Thes. Nr. 399. Unbedeutendes Fragment.

26. Thes. Nr. 537. Fragment einer Stele aus guter Zeit. Eine sitzende Frau, an welche ein Knabe sich anschmiegt, reicht einer vor ihr stehenden weiblichen Figur zum Abschiede die Hand. Das Ganze ist stark fragmentirt; die Figuren sind von halber natürlicher Grösse.

27. Thes. Nr. 555. Fragment.

28. Thes. Nr. 562. Unten abgebrochene Stele der guten Zeit mit Anthemion und zwei Rosetten in der Mitte, 1,47 hoch und 0,39 breit. Das Relief darauf zeigt uns eine sitzende, verschleierte Frau, die von einem vor ihr stehenvor den Manne Abschied nimmt. Inschrift:

Νίκη Δωσιθέου Θασία
Χρηστὴ καὶ φιλόστοργε χαῖρε.

29. Thes. Nr. 571. Unten abgebrochene Stele mit Giebel, 1 Meter hoch und 0,44 breit. Das Relief ist fleissig gearbeitet. Ein sitzender Mann nimmt Abschied von einem ihm stehenden Manne. Inschrift:

Τιμόλας Τιμίδου Φανόστρατος.

30. Thes. Nr. 589. Stele mit Giebel aus guter Zeit, 1,05 hoch und 6,70 breit. In Hochrelief sehen wir eine sitzende Frau, der ein davor stehender Mann die Hand reicht; hinten gewahren wir einen Greis und eine Frau, daneben zwei kleine Figuren, von denen eine weibliche eine Ciste trägt. Inschrift:

Φαινίππη Σμιθίων Κλεώ.

31. Thes. Nr. 592. Stele, 1,22 hoch und 0,75 breit mit Relief aus später Zeit. Zwei korinthische Säulen tragen einen Architrav mit Triglyphen, darüber erhebt sich ein

Giebel. Dargestellt ist eine sitzende Frau, die Abschied nimmt von einem vor ihr stehenden Manne, daneben steht ein anderer Mann und zwei dienende Personen, von denen eine weibliche eine Ciste trägt.

Μύστα Μνασίου | Λαοδίκισσα χρηστὴ χαῖρε.
Ἀπολλώνιε Ἀπολλωνίου | Ἀλεξανδρεῦ χρηστὲ χαῖρε.
Ἀπολλώνιε Διονυσίου | Ἀλεξανδρεῦ χρηστὲ χαῖρε.

32. Thes. Nr. 597. Stele mit Giebel, in welchen Akroterien aus anderen Stücken eingesetzt waren. Sie ist zwar fragmentirt, wird aber im Ganzen 1,50 hoch gewesen sein. Ein Relief darauf in schöner, etwas strenger Arbeit zeigt uns eine sitzende Frau, welche die Hand ausstreckt; links abgebrochen; in der Mitte erscheint eine männliche Figur.

33. Thes. Nr. 600. Stele mit Giebel, der auf Antenpfeilern getragen wird, etwas über 1 Meter hoch, links abgebrochen. Das Relief ist aus guter Zeit: einer verschleierten, sitzenden Frau reicht ein davorstehender Greis die Hand; in der Mitte im Hintergrunde erkennen wir eine weibliche Figur, während hinter dem Sessel, wie es scheint, eine männliche, kleinere Figur mit phrygischen Hosen und umbundenem Kopfe steht. Auf dem Architrave lesen wir:

Δαμασιστράτη. Πολυκλείδου......

Gefunden in der Nekropolis nördlich von der heutigen Stadt Peiräeus; abgebildet Ephem. Nr. 469., Rangabé, II. Nr. 1699.

34. Ausserhalb des Theseion aufgestellt ist eine länglich viereckige Stele ohne Giebel und Anthemion, gerade abgeschnitten; gefunden im Anfange des Jahres 1861 an der Stelle des alten Dipylon (Bull. dell' Inst., 1861. p. 140.), 0,92 hoch und 0,40 breit. In einer Vertiefung ist ein Relief von gewöhnlicher Arbeit angebracht: eine sitzende Frau reicht die Hand einem vor ihr stehenden Manne; dazwischen steht im Hintergrunde eine weibliche Figur. Hinter dem Sessel, ebenfalls im Hintergrunde, bemerken wir eine ver-

schleierte, weibliche Figur, welche nach der Arbeit sowohl
als nach der Inschrift: »Θεοφίλη Συμμάχου θυγάτηρ« später hinzugefügt worden ist, indem sie wahrscheinlich als
Tochter der Συμμαχία in demselben Grabmale mit der Mutter beigesetzt wurde. Die Inschrift:

Συμμαχία Συμμάχου
Μενδίου θυγάτηρ.
Θεοφίλη Συμμάχου θυγάτηρ.

35. Grabrelief, das aus verschiedenen Stücken besteht,
welche aber noch nicht zusammengesetzt sind, sondern zerstreut im Innern des Theseion umherliegen. Gefunden wurde
es im Anfange des Jahres 1861 neben dem alten Dipylon,
das grösste und herrlichste der hier gefundenen und erhaltenen Grabmonumente (*Bull. dell' Inst.*, 1861. p. 140.).
Die Form desselben ist die der besten Zeit griechischer
Kunst gewöhnliche, ein Giebel, der von zwei Antenpfeilern
getragen wird, mit Hochrelief in der Mitte. Bei diesem
Grabsteine aber finden wir sowohl den Giebel, als auch die
einzelnen Pfeiler, die Basis und die mittlere Platte mit dem
Hochrelief aus einzelnen Stücken gebildet. Die dargestellten Figuren sind fast frei gearbeitet, nur in einzelnen Thei·
len mit der Hinterplatte verbunden und von natürlicher
Grösse. Links vom Beschauer sehen wir einen Greis,· der
auf einem verzierten Stuhle sitzt, die Hand einem vor ihm
stehenden Jünglinge reichen, welcher mit Panzer und
kurzem Schwerte bewaffnet ist. In der Mitte im Hintergrunde steht eine weibliche Figur, an welcher Füsse und
Hände theilweise fragmentirt sind. Auf einigen Stellen der
Hinterplatte bemerkte man bei dem Auffinden des Denk-
males deutliche Spuren von rother Farbe, ebenso auf der
Gewandung des sitzenden Greises Spuren von blauer Farbe.
Auf dem Architrave finden wir die Inschrift:

Ἄτον..... *Ἀρχίππη* : *Μειξιάδου*
Αἰγιλιόθεν. *Προκλείδης* *Πρόκλῆς* : *Προκλείδου*
Πανφίλου *Αἰγιλιέως*.
Αἰγιλ....ς

36. Vor dem Theseion aufgestellt ist eine im October 1861 an derselben Stelle, wie die vorige, gefundene Marmorplatte mit Hochrelief, welche wahrscheinlich von Antenpfeilern und einem Giebel, die aus einzelnen Stücken bestanden, eingefasst war und so ein Grabdenkmal der guten Zeit ansmachte. Das Erhaltene ist 1,45 hoch und oben theilweise abgebrochen; die dargestellten Figuren sind etwas unter Lebensgrösse. Rechts vom Beschauer sitzt eine Frau in reicher Gewandung auf einem Stuhle; leider fehlt der Kopf derselben, welcher aus einem anderen Stücke eingesetzt war. Sie reicht die Hand einem vor ihr stehenden, langbekleideten Manne, dessen rechte Hand abgebrochen ist. In der Mitte im Hintergrunde ist in Flachrelief eine stehende weibliche Figur theilweise erhalten. Die Erhebung des Reliefs ist 0,31 und die Arbeit aus der besten Zeit.

37. Akr. Nr. 1962. Fragment einer kleinen Stele: ein Mann und eine Frau reichen sich die Hand.

38. Akr. Nr. 1971. Fragment mit einer sitzenden Frau, welche die Hand ausstreckt.

39. Akr. Nr. 1996. Fragment, ähnlich wie oben.

40. Akr. Nr. 2039. Fragment mit einer Frau, die die Hand ausstreckt.

41. Akr. Nr. 2042. Fragment: zwei stehende, männliche Figuren reichen sich die Hand; dahinter erscheint eine kleine männliche Figur eines Dieners.

42. 43. 44. 45. Akr. Nr. 2118. 2122. 2133. 2138. Fragmente, ähnlich wie oben Nr. 39.

46. Hadr. Stoa. Zweihenkelige Marmorvase, 0,55 hoch; oben und unten abgebrochen. Darauf erscheint in Flach-

relief ein bärtiger Mann, welcher einem vor ihm stehenden Jünglinge die Hand reicht. Das Relief ist fleissig gearbeitet. Oberhalb lesen wir:

$$Κυδροκλῆς \; Βαιχύλου \; Κῶος$$
$$Στέφανος \; Κυδροκλέος \; Κῶος.$$

Gefunden in der Nekropolis, nördlich von dem heutigen Peiräeus; abgebildet *Ephem.* Nr. 539., Rangabé, II. Nr. 1828. und Lebas, *voyage archéol.* pl. 80.

47. Hadr. Stoa. Fragmentirte, marmorne Hydria, 0,53 hoch mit Flachrelief: ein sitzender Greis reicht die Hand einer vor ihm stehenden weiblichen Figur, dahinter sehen wir eine kleine, ebenfalls weibliche Figur.

48. Hadr. Stoa. Gewöhnliche Stele mit Giebel, der von zwei Antenpfeilern getragen wird, unten theilweise beschädigt, 2 Meter hoch und 1,15 breit. Ein Hochrelief aus guter Zeit stellt eine verschleierte, stehende Frau dar, welche die Hand einem vor ihr stehenden Manne reicht. Oben auf dem Architrave finden wir die Inschrift:

$$Μνησιστράτη.$$

49. Hadr. Stoa. Stele, hinten abgebrochen: ein sitzender Greis reicht einem vor ihm stehenden Jünglinge die Hand. Die Inschrift lautet:

$$Διοκλείδης \; Κυθήριος \; Μίνδακος.$$

Gefunden in der Nekropole nördlich vom heutigen Peiräeus, puclicirt und besprochen *Ephem.* Nr. 542., Rangabé, II. 1842., Ross, Demen v. Attika.

50. Hadr. Stoa. Stele, auf welcher in Flachrelief eine Vase dargestellt ist; auf dieser sehen wir wiederum in Flachrelief eine sitzende Figur, welche einer vor ihr stehenden die Hand reicht; dahinter eine kleine, weibliche Gestalt.

51. Hadr. Stoa. Stele: eine sitzende Frau reicht die Hand einet vor ihr stehenden weiblichen Figur.

52. Hadr. Stoa. Nr. 3319. Oben abgebrochene Stele,

0,40 breit, mit Relief aus später Zeit: eine sitzende Frau
reicht einem vor ihr stehenden Manne die Hand, dahinter
steht eine kleine weibliche Figur, Inschrift:

Τερτία Αὐριδία | Ἀρίστιον χρηστὴ | χαῖρε.

53. Hadr. Stoa. Nr. 3324. Stele aus später Zeit mit
Giebel, welcher von Säulen und einem Bogen getragen wird,
0,52 hoch und 0,25 breit. Das Relief zeigt uns eine sitzende
Frau, welche einem vor ihr stehenden Manne die Hand
reicht. Unten stehen die Worte:

Ζῶσα Φιλομήτωρ | χρηστὴ χαῖρε.

54. Hadr. Stoa. Nr. 3343. Stele mit Giebel, 0,30 breit.
In Flachrelief sehen wir eine sitzende Frau, welche einer
stehenden Frau die Hand reicht. Inschrift:

Ἀρίστη Μίκα.....

Gefunden 1836 in der Nekropolis nördlich vom Peiräeus
(*Ephem.* 865.).

55. Hadr. Stoa. Nr. 3347. Stele von später Arbeit.
Zwei Frauen, von denen die eine sitzt, reichen sich die
Hand; daneben eine kleine, dienende Figur. Inschrift:

Μαλε.... | Ναξία.

56. Hadr. Stoa. Nr. 3348. Stele aus später Zeit mit
Giebel, der von Säulen und Bogen getragen wird, 0,75 hoch
und 0,47 breit. Ein rohes Relief zeigt uns eine sitzende
Frau, welche einem vor ihr stehenden Manne die Hand
reicht, daneben steht eine kleine weibliche Figur mit einer
Ciste.

57. Hadr. Stoa. Nr. 3349. Oben abgebrochene Stele
mit Relief zwischen zwei canellirten Säulen, welche zum
Tragen des Giebels dienten. Eine sitzende Frau reicht einem
vor ihr stehenden Manne die Hand, daneben eine kleine
weibliche Figur mit Ciste. Unten:

Δημητρία | Ἐνεικαίου | χρηστὴ χαῖρε.

58. Hadr. Stoa. Nr. 3398. Stark fragmentirte Stele,

deren Oberfläche auch beschädigt ist. Eine sitzende Frau
nimmt Abschied von einer vor ihr stehenden Figur; dahinter
steht eine andere Gestalt. Das Ganze ist 0,43 breit. Die Inschrift lautet:

$$K\lambda\varepsilon\iota\tau o\tau\iota\mu\eta \mid N\iota\varkappa\alpha\gamma\acuteo\varrho o\upsilon. \qquad 'H\gamma\acute\eta\sigma\iota\pi\pi o\varsigma \mid K\tau\eta\sigma\iota o\upsilon.$$

59. Hadr. Stoa. Nr. 3590. Fragmentirte Grabvase mit
Flachrelief. Ein sitzender Mann reicht einem vor ihm stehenden Manne die Hand. Oben lesen wir:

$$\Xi\varepsilon v\acuteo\tau\iota\mu o\varsigma \mid \Xi\varepsilon v\acuteo\varphi\iota\lambda o\varsigma.$$

60. Hadr. Stoa. Nr. 3608. Gewöhnliche Stele mit Relief. Wir sehen darauf eine sitzende Frau, welche einer vor
ihr stehenden Frau die Hand reicht, während in der Mitte
ein bärtiger Mann mit den Zeichen der Trauer uns erscheint.
Fleissige Arbeit. Inschrift:

$$T\iota\mu\alpha\gamma\acuteo\varrho\alpha \ \varDelta\eta\mu o\varkappa\varrho\acute\iota\tau o\upsilon$$
$$\varDelta\varepsilon\lambda\varphi\acute\iota\varsigma.$$

- Gefunden 1858 in dem nördlichen Theile Athens (*Ephem.*
Nr. 3288.).

61. Hadr. Stoa. Nr. 3612. Marmorne Hydria mit Flachrelief: ein sitzender Mann reicht einem vor ihm stehenden
Bewaffneten die Hand, dahinter sehen wir einen Knappen,
der Schild und Helm nachträgt.

62. Hadr. Stoa. Nr. 3613. Marmorne Hydria mit Flachrelief. Eine sitzende Frau reicht einem vor ihr stehenden
bärtigen Manne die Hand.

63. Hadr. Stoa. Nr. 3614. Marmorne Hydria mit Flachrelief. Ein sitzender Mann reicht einem vor ihm stehenden
Manne die Hand. Darüber lesen wir:

$$\varDelta\varepsilon\iota v o\varkappa\iota.... \ K\alpha\lambda\lambda\iota\acuteα\delta o\upsilon\varsigma \mid ...\varepsilon\omega v\iota\acuteε\upsilon\varsigma.$$

64. Hadr. Stoa. Nr. 3615. Marmorne Hydria mit Flachrelief. Ein sitzender Mann reicht einem vor ihm Stehenden
die Hand.

65. 66. Hadr. Stoa. Nr. 3616. 3617. Hydrien mit ähnlichen Darstellungen.

67. Hadr. Stoa. Nr. 3618. Marmorne Hydria. Das Flachrelief darauf zeigt uns eine sitzende Frau, welche einem vor ihr stehenden Manne die Hand reicht. Darüber:

Διφίλη | Δημοκλείδου | Εὐωνυμέως
Ναυσιχάρης | Ναυσικράτου | Αἰξωνεύς.

Gefunden wurde diese Hydria 1840 am äusseren Kerameikos (*Ephem.* Nr. 1532. und Rangabé, II. Nr. 1357.).

68. Hadr. Stoa. Nr. 3623. Marmorne Hydria mit Flachrelief. Eine stehende Frau fasst mit der Hand den Schleier und nimmt Abschied von einem vor ihr stehenden Manne. Oberhalb:

..... ανθη.

Gefunden nordwestlich vom königlichen Schlosse (*Ephem.* Nr. 2787.).

69. Arch. Ges. Fragmentirte Stele: 0,42 hoch und 0,37 breit. In der Mitte sehen wir eine bärtige Figur, welche einem vor ihr stehenden, ebenfalls bärtigen Manne die Hand reicht; hinten erscheint eine dritte männliche Figur. Oben:

Σώσιππος   Σώσιππος   Σωσίστρατος
Ἀγρυλῆθεν.   Ἀγρυλῆθεν.   Ἀγρυλῆθεν.

70. Arch. Ges. Stele der guten Zeit mit Giebel, der auf Antenpfeilern ruht; 1,15 hoch und 0,77 breit, gefunden in der Nekropolis des Peiräeus. Das Hochrelief ist gut gearbeitet: eine Frau, welche auf einem Sessel ohne Lehne sitzt, reicht einem vor ihr stehenden, bärtigen Manne die Hand. Oben auf dem Architrave lesen wir die Worte:

Μιλτιάδης Εὔπραξις Πλαταιική.

(angeführt *Ephem.* Nr. 3665.).

71. Arch. Ges. Kleine fragmentirte Grabvase mit Flachrelief. Eine sitzende Frau reicht die Hand einem vor ihr

5 * ·

stehenden Bewaffneten mit Helm, Panzer und Schild; in der
Mitte gewahren wir einen trauernden Greis.

72. Arch. Ges. Stele mit Anthemion, 1,35 hoch und
0,45 breit, von der Insel Salamis. Unten sind zwei Rosetten
angebracht. Auf vertieftem, viereckigem Felde erhebt sich
ein Flachrelief von nachlässiger Arbeit. Eine sitzende Frau
reicht die Hand einem vor ihr stehenden Manne; dazwischen
steht im Hintergrunde eine trauernde Frau. Oben steht die
Inschrift:

$$Ἀρτεμισία χρηστή.$$

73. Arch. Ges. Stele aus später Zeit mit dem Fragment
einer Abschiedsscene. Erhalten ist nur eine sitzende Frau.
Gefunden im Früjahre 1861 nördlich vom heutigen Peiräeus
(Arch. Anz. 1861, p. 198.).

74. Arch. Ges. Fragment einer Stele, auf welcher in
Flachrelief eine Grabvase dargestellt ist; auf dieser sehen
wir eine sitzende Frau einem vor ihr stehenden Manne die
Hand reichen (gefunden und besprochen an demselben Orte
wie die vorige Nummer).

75. Thurm A. Nr. 16. Marmorne Vase mit Flachrelief:
ein sitzender Greis nimmt Abschied von einer vor ihm
stehenden Frau, hinter welcher eine andere weibliche Figur
steht, während hinter dem Greise ein stehenden Mann uns
erscheint. Die Inschrift darauf ist unleserlich.

76. Thurm A. Nr. 21. Stele mit Anthemion. Darauf
sehen wir in Relief eine sitzende Frau, welche einem vor ihr
stehenden, bärtigen Manne die Hand reicht. Gefunden 1836
nördlich von dem heutigen Peiräeus. Die Inschrift lautet:

$$(Φ)αιδωνίδης Σπουδαίου \mid Ἀγκυλῆθεν.$$
$$Λυσιστράτη.$$

Besprochen *Ephem.* Nr. 1748. und 2795., Rangabé, II.
Nr. 2372., Bursian, Arch. epigr. Nachlese, p. 195.

77. Im Ministerium des Cultus. Fleissig gearbeitete

Stele mit einer sitzenden Frau, welche einer stehenden die
Hand reicht.

78. In einem Hause östlich vom königlichen Palaste befindet sich eine sehr gut erhaltene marmorne Hydria, 2 Meter hoch, die grösste der uns bekannten Grabvasen. Sie ist
sehr schlank und zeigt deutliche Spuren von rother Farbe
am Untertheile auf. Gefunden wurde sie 1849 daselbst. Wir
sehen darauf ein rings herumlaufendes Relief, theilweise unvollendet, aus guter Zeit, welches von links nach rechts
einen Reiter mit Petasos darstellt; vor ihm stehen zwei mit
Helm und Schild bewaffnete Krieger, die sich die Hand
reichen. Unter dem Henkel der Vase befindet sich eine
kaum angelegte, liebliche Gruppe zweier Frauen, von welchen die eine sitzt, die andere hinter ihr auf die Rückseite
des Stuhles sich lehnt und mit der ausgestreckten Rechten
ihr einen Gegenstand in der Ferne zu zeigen scheint. Diese
Gruppe gehört wahrscheinlich nicht zur Hauptdarstellung
und scheint eher einer Künstlerlaune ihre Entstehung zu
verdanken. (Besprochen ist diese Vase mit wenigen Worten
in der *Ephem*. Nr. 3270.)

Nachdem wir im Vorigen diejenigen Darstellungen auf
griechischen Grabsteinen angeführt haben, auf welchen wir
den Verstorbenen entweder zum Tode sich schmücken oder
vor seinem Tode noch von Verwandten und Freunden Abschied nehmen sehen, gehen wir jetzt ganz naturgemäss zu
solchen Darstellungen über, welche uns den Tod selbst
oder die Ursache des Todes vor Augen führen.

Unter diesen Darstellungen nehmen den ersten Platz
diejenigen ein, welche uns die im Meere Ertrunkenen oder
sonst Verunglückten zeigen. Schon in sehr früher Zeit finden
wir die Sitte angeführt, die Grabmale der Seefahrer mit angebrachten Rudern zu schmücken (Homer, Odyss., XI. 774),
und eben diese Sitte, wenn auch theilweise modificirt, finden

wir auch auf griechischen Grabsteinen und zwar meist solchen aus später Zeit. Wir sehen dann gewöhnlich den im
Meere Verunglückten auf einem Felsen sitzen; meistens
finden wir daneben das Schiff angedeutet und Ruder dargestellt. Solche Grabsteine, welche vielleicht auch manchmal
zum Schmucke von Gräbern solcher Seefahrer angebracht
wurden, welche nicht im Meere verunglückt waren, wurden
wohl meistens verwendet zu dem Schmucke von Kenotaphien für diejenigen, deren Leichen in dem Meere unter-
gegangen waren. Die meisten dieser Grabsteine stammen
von den Inseln. Friedländer, a. a. O., p.25 ff. und Stephani,
Ausr. Herakl., p. 24 ff. besprechen solche Grabsteine, indem der Letztere auch die zu seiner Zeit in Athen befindlichen Reste dieser Gattung anführt.

1. Thes. Nr. 292. Stele mit Giebel, 0,60 hoch und
0,31 breit, von später Arbeit; auch hat die Oberfläche stark
gelitten : eine nackte, männliche Figur sitzt auf einem Felsen, den Kopf auf die linke Hand gestützt; links steht eine
kleine, männliche Figur in einem Kahne (Stephani, p. 24.
Nr. 1.).

2. Thes. Nr. 305. Ein Relief aus später Zeit stellt uns
einen Krieger mit Schild und Schwert dar, welcher in einem
Kahne steht. Unten lesen wir die Worte:

$$Νικηφόρος \mid χρηστὲ χαῖρε.$$

3. Thes. Nr. 315. Gewöhnliche Stele aus später Zeit
mit Giebel, der von Antenpfeilern und einem Bogen getragen wird, 0,73 hoch und 0,44 breit. Auf einem Felsen sitzt
ein trauernder Mann; unten ist ein Kahn zu erkennen, in
welchem drei Figuren sich befinden, von denen nur die
Köpfe sichtbar sind. Unten lesen wir die Inschrift:

$$Σπόριε Γράνιε Αὔλου Ῥωμαῖ \mid ε χρηστὲ καὶ$$
$$ἄλυπε χαῖρε.$$

71

Gefunden 1828 auf der Insel Delos (*Ephem.* Nr. 1014., Stephani, p. 25., Nr. 2. und abgebildet Tf. V., Fig. 2.).

4. Thes. Nr. 352. Stele mit Giebel, 0,73 hoch und 0,34 breit, späte Arbeit. Auf einem Felsen sitzt ein nackter Mann, der mit der Linken ein Ruder hält, während er die Rechte einer vor ihm stehenden Frau reicht. Neben dem Manne gewahren wir eine kleine männliche Figur, neben der Frau eine kleine, stehende weibliche. Unten lesen wir:

$\Phi\varrho o.... \Delta\iota o\nu\sigma\iota o\nu \mid \chi\varrho\eta\sigma\tau\grave{e} \chi\alpha\tilde{\iota}\varrho\varepsilon.$
$\Theta\varepsilon o\delta o\sigma\iota\alpha \ (B\eta\varrho)\nu\tau\iota\alpha \ \chi\varrho\eta\sigma\tau\grave{\eta} \ \chi\alpha\tilde{\iota}\varrho\varepsilon.$

Stephani, a. a. O., p. 25. Nr. 3.; die Inschrift angeführt in dessen *Tituli graeci*, IV. p. 24.

5. Thes. Nr. 405. Reich verzierte Platte, 1,04 hoch und 0,47 breit, mit Giebel, der von canellirten Säulen getragen wird, Architrav und Triglyphen. Auf einem Felsen sitzt ein nackter, bärtiger Mann mit den Zeichen der Trauer. Davor steht eine kleine, nackte, männliche Figur. Unten lesen wir:

$\Lambda\varepsilon\upsilon\kappa\iota\varepsilon \ (A\dot{\upsilon})\varphi\iota\delta\iota\varepsilon \mid \Delta\dot{\alpha}\mu\alpha \ \chi\varrho\eta\sigma\tau\grave{e} \ \kappa\alpha\grave{\iota} \mid \ \ddot{\alpha}\lambda\upsilon\pi\varepsilon \ \chi\alpha\tilde{\iota}\varrho\varepsilon.$

Abgebildet *Ephem.* Nr. 1002.; gefunden 1833 auf der Insel Delos, Stephani, p. 25. Nr. 4.

6. Hadr. Stoa. Nr. 3344. Platte mit Giebel, 0,65 hoch und 0,29 breit; unterhalb des Giebels ist eine Tänie in Flachrelief dargestellt, welche die Stele umgiebt. Ein nackter, trauernder Jüngling sitzt auf einem Felsen; vor ihm sehen wir einen Kahn. Unten stehen die Worte:

$\Gamma\lambda\dot{\upsilon}\kappa\omega\nu \mid \Pi\varrho\omega\tau o\gamma\acute{\varepsilon}\nu o\upsilon \mid \chi\varrho\eta\sigma\tau\grave{e} \ \chi\alpha\tilde{\iota}\varrho\varepsilon.$

Gefunden wurde diese Platte 1826 auf Delos; abgebildet *Ephem.* Nr. 393., *Exped. scient. de Morée*, T. III. pl. 20, 1., Stephani, p. 25. Nr. 5.

7. Hadr. Stoa. Nr. 3355. Stele von später Arbeit, 0,47 hoch. Ein nackter Jüngling sitzt trauernd auf

einem Felsen, davor ist ein Kahn und Ruder dargestellt.
Unten:

Ζήνων Ἀρτεμιδώρου | Σιδώνιος χρηστέ | χαῖρε.

Stephani, p. 26. Nr. 6.

Diesem Kreise von Darstellungen zum Theil verwandt
ist auch ein Grabrelief auf einer Stele, welches im Frühjahre
1861 an der Stelle des alten Dipylon gefunden worden und
von höchstem Interesse ist, sowohl wegen seiner einzig da-
stehenden Darstellung, als auch der leider noch in manchen Stellen undeutlichen Inschrift (*Bull. dell' Inst.*, 1861.
p. 140.). Es ist eine Stele mit Giebel, 1,37 hoch und 0,41
breit, von guter Erhaltung. Wir finden darauf auf viereckigem, vertieftem Felde in Flachrelief von ziemlich fleissiger
Arbeit folgende Darstellung: in der Mitte liegt auf einem
Bette lang hingestreckt ein todter (oder schlafender), männ-
licher Körper; an seiner Kopfseite erhebt sich auf seinen
Hintertatzen ein Löwe, der den Todten (oder Schlafenden)
anzugreifen scheint. Auf der anderen Seite des Bettes steht
ein nackter Jüngling, welcher den Löwen abwehrt. Im
Hintergrunde ist in flachem Relief die Prora eines Schiffes
und ein Ruder dargestellt. Oberhalb des Reliefs ist die Inschrift in griechischer und phönicischer Sprache angebracht[1]):

Ἀντίπατρος Ἀφροδισίου Ἀσκαλωνίτης
Δομοαλως Δομανῶ Σιδώνιος ἀνέθηκε.

Unterhalb des Reliefs:

Μηθεὶς ἀνθρώπων θαυμαζέτω εἰκόνα τήνδε,
Ὡς περὶ μέν με λέων, πέρι δ' ἡ πρῴρη 'κτετάνυσται
Ἦλθε γὰρ ἐχθρολέων τἀμὰ θέλων σποράσαι,
Ἀλλά φίλοι τ' ἤμυναν καί μου κτέρισαν τάφον οὔτῃ,

---

1) Das Facsimile der phönicischen Inschrift in *Annali dell' Instituto*
1861. *tav. d'agg.* M. Nr. 1.

Οὓς ἔϑελον φιλέων, ἱερᾶς ἀπὸ νηὸς ἰόντες
Φοινίκην δέ λιπὼν τῇδε χϑονί σῶμα κέκρυμμαι [1]).

Endlich seien auch noch hier einige Grabsteine angeführt, deren Darstellungen zwar deutlich zu den menschlichen Handlungen gehören, deren Sinn jedoch dunkel geblieben ist.

1. Thes. Nr. 40. Fragmentirte Stele, 0,38 breit. Das Relief zeigt uns eine langbekleidete, stehende weibliche Figur mit abgebrochenem Kopfe, die in den Händen eine kleine Statuette hält.

2. Thes. Nr. 585. Herrliche Stele mit Gesims, welcher durch Arabesken verziert ist, 0,80 breit, unten abgebrochen. Das Hochrelief von schöner Arbeit stellt einen stehenden Jüngling mit entblösstem Obertheile dar, welcher mit der Rechten einen vor ihm aufgestellten Gegenstand (Ciste oder spitzer Hut) anfasst. Daneben kauert auf einem Pfeiler ein Hund, dessen Kopf abgebrochen ist. Unten erkennen wir einen nackten Knaben, der in den Händen etwas hält, was jedoch leider ebenfalls abgebrochen ist. Panofka, Arch. Ztg., 1845. p. 15. erkennt darin eine mythologische Handlung.

3. Hadr. Stoa. Untertheil einer Stele mit Säulen. Erhalten ist nur der untere Theil zweier Figuren, einer männlichen und einer weiblichen, welche sich wahrscheinlich umarmten. Gefunden 1841 unweit des Theseion; abgebildet *Ephem.* Nr. 958.

Verlassen wir jetzt die Ueberreste der heiteren und klaren griechischen Kunst während der glücklichen Zeit ihrer Blüthe und gehen wir nun zu solchen Resten über, die aus einer Zeit stammen, wo das Volk der Griechen, unter fremder Herrschaft schmachtend, auch selbst das Wesen und den Charakter ihrer Herrscher, der Römer, sich zu eigen machte.

---

1) Ausführlich über diese Inschrift in *Annali* a. a. O., p. 322.

Wir werden in dieser traurigen Zeit der Knechtschaft des Volkes auch seine Producte auf dem Gebiete der Plastik ganz verändert finden, indem auch diesen deutlich der Stempel des römischen Charakters aufgedrückt ist. Denn während der freie Grieche, Niemanden fürchtend, frank und frei in Wort und That, diese eigenthümliche Freiheit und Klarheit seiner Gedanken und Handlungen auch auf seine plastischen Erzeugnisse übertrug, sehen wir ihn in der Zeit der Knechtschaft in den Producten seiner Kunst ebenfalls unklar und undeutlich werden, als ob er, man könnte fast sagen, auch auf diesem Felde sich fürchtete, seine Gedanken frei auszusprechen. Daher finden wir denn in den Resten der Grabsteine aus dieser Epoche, wenn nicht die schon von Alters her gebräuchlichen Darstellungen beibehalten sind, meistens als eigentlich charakteristisch für diese Zeit die Sitte, die Grabsteine der Verstorbenen mit Darstellungen aus dem mythologischen, seltener aus dem historischen Kreise zu schmücken, um, so zu sagen, unter dem Mantel solcher Darstellungen, manche Eigenschaften des Verstorbenen während seines Lebens hervorzuheben, manche Hoffnungen nach dem Tode anzudeuten (Stephani, a. a. O., p. 41 ff., O. Müller, Handb., §. 431. und manche Andere).

Von dieser Gattung von Darstellungen führen wir zuerst den Amazonenkampf an. Folgendes sind die uns hiervon erhaltenen Reste in Athen:

1. Sarkophag-Fragmente der Archäologischen Gesellschaft, gefunden bei dem sogenannten Tetrakionion der Athene, an der Stelle der alten Agora. Das Hochrelief, dessen Oberfläche stark gelitten hat, stammt aus römischer Zeit. Amazonen zu Fuss und zu Pferde kämpfen gegen Griechen.

2. Fragment einer Vase der Arch. Ges. Ein rohes Relief stellt einen Amazonenkampf dar mit zwei Figuren.

Am allerhäufigsten zum Schmucke meist von Sarkophagen finden wir Darstellungen aus dem bacchischen Kreise gebraucht. Es ist nicht nöthig, an die grosse Anzahl solcher Darstellungen in den verschiedenen Museen Europa's zu erinnern, denn auch hier haben wir etliche Beispiele davon, alle aber aus der römischen Zeit, in denen wir meist durch Kinder symbolisch eine Handlung aus dem dionysischen Cultus dargestellt finden.

1. Thes. Nr. 552. Gut erhaltener Sarkophag. Darauf ist in Hochrelief an der Vorder- und den Seitenflächen ein bacchischer Taumel durch Kinder dargestellt (abgeb. Stephani, T. II. p. 101. Nr. 2.).

2. 3. Thes. Nr. 306. 307. Zwei sehr kleine Fragmente einer ähnlichen Darstellung (Stephani, p. 102. Nr. 3.).

(Hierher können wir nicht das in der Akr. Nr. 2564. aufbewahrte Fragment rechnen, welches von Stephani, p. 102. Nr. 4. als Grabrelief aufgefasst wird, da es nach meiner Ansicht eher zu irgend einem agonistischen Denkmale gehört.)

4. Gut erhaltener Sarkophag, gefunden im Jahre 1852 im Hause Spiro Mylios an der sogenannten Stadium-Strasse, im nördlichen Theile der Stadt; (Bursian, Arch. Anz. 1854, p. 475 ff.). In der Mitte der Vorderseite finden wir in Relief einen Altar dargestellt; links davon steht eine Frau mit einem Korbe auf dem Haupte, worin sie Früchte trägt, während sie in der rechten Hand eine Fackel hält. Weiter nach links erscheint uns die bekannte Figur einer Mänade, die mit zurückgeworfenem Kopfe in der Rechten ein Messer, in der Linken einen Thierschenkel hält. Zu äusserst auf der linken Seite steht ein Jüngling mit einem Palmenzweige. Rechts vom Altare schleppt ein Mann einen Widder an den Hörnern zum Opfer, während hinter ihm ein Mann auf dem Felsen sitzend die Doppelflöte bläst; daneben steht an der Ecke des Sarkophags, wie auf der andern

Seite, ein Jüngling mit einem Palmenzweige. In der Mitte
sehen wir die Inschrift:

$$Μάγνος \ Μάγνου \ | \ 'Ερνάδης$$

(*Ephem.* Nr. 1511.). Es wird uns also auf der Vorderseite
die Darstellung des bacchischen Taumels und eine Vorbe-
reitung zum Opfer vor Augen geführt.

Auf der linken Seitenfläche ist ein Hippokamp dargestellt; auf der rechten sehen wir einen Mann, der seine linke
Hand nach einer vor ihm stehenden, bekleideten Figur ausstreckt, welche ihm etwas darreicht. Auf der Rückseite sind
zwei Greifen gebildet, die ihre Vorderpfoten auf einen zwischen ihnen befindlichen Candelaber setzen [1]).

5. Sarkophag im Garten Sutzos am Wege nach Acharnä
dicht bei Athen gelegen, nach Bursian, Arch. Anz., 1855.
p. 119. der beste unter den in Athen erhaltenen Sarkophagen. Auf der Vorderseite sehen wir in der Mitte einen
Altar, auf dem Früchte liegen; auf jeder Seite stehen vier
Knaben, welche Schüsseln mit Früchten, Hasen, Kränze

---

1) Oft finden wir Darstellungen dieser Art, nämlich einen Gegenstand zwischen zwei Thieren, auf Reliefs. Das älteste Beispiel einer
solchen Darstellung ist das Relief des Löwenthores von Mykenä, einer
eigenthümlichen Säule zwischen zwei Löwen. Ähnlicher Gattung sind
die oft vorkommenden Darstellungen zweier sich stossender Böcke, zwischen welchen ein Gefäss steht; so auf dem Relief in einer Grotte der
Insel Thasos (von Conze, Reise, Tf. VII, 3. publicirt); ähnliche Darstellungen finden wir auf dem Fragmente einer Platte der hiesigen archäologischen Gesellschaft, sowie auch auf Vasenscherben in Relief, der näm-
lichen Sammlung (Arch. Anz., 1860. p. 111.). Von derselben Art sind
die Darstellungen eines Kraters zwischen zwei liegenden Löwen; auf der
Hinterseite des Sarkophags im Theseion Nr. 552. (Stephani, Tf. II.) und
auf einer kleinen, viereckigen Basis Thes. Nr. 179. Dieselbe Darstellung
wie oben auf dem Sarkophage im Hause Spiro Mylios, ein Candelaber
zwischen zwei Greifen, finden wir auch sonst in Relief; so auf einem
Fragmente von einer marmornen Platte der hiesigen archäologischen Gesellschaft. Gewiss sind diese Darstellungen keine einfachen Verzierungen,
sondern sie müssen irgend einen Sinn haben.

und Fackeln tragen und uns so den Dionysischen Taumel
vor Augen führen. Auf der rechten Seitenfläche ist ein
Schild mit Medusenhaupt dargestellt, auf der Rückseite drei
kahle Stierschädel mit Tänien und Guirlanden, darüber ein
Medusenhaupt; auf der linken Seitenfläche finden wir den
Ödipus vor der Sphinx. —

Ausser diesen mit Relief-Darstellungen geschmückten
Sarkophagen habe ich mir folgende, meist fragmentirte, notirt, welche blos mit Blumen, Kränzen und Guirlanden und
sonst ähnlichem geschmückt sind, und zwar alle aus römischer Zeit. Am häufigsten finden wir darauf Medusenköpfe
angebracht, auch Masken, welche wir jedoch nicht als einfachen Schmuck, sondern mit Jahn (Aberglaube des bösen
Blickes, p. 57. 58.) als Amulete gegen den Zauber aufzufassen haben.

1. Fragment auf der Akropolis: Blumen- und Frucht-
Guirlande in Hochrelief.

2. Sarkophag mit spitzem Deckel von guter Erhaltung,
ausserhalb des Theseions aufgestellt; gefunden 1835 am
Nordtheile Athens (Ross, Arch. Aufs., I. p. 35.). An der
Vorderseite in der Mitte ist ein Adler dargestellt, an den
Ecken Thierköpfe, welche Blumen- und Frucht-Guirlan-
den tragen.

3. Hadr. Stoa. Nr. 3596. Sarkophag, 1,20 lang und
0,51 hoch, von guter Erhaltung. Dargestellt sind darauf
Blumen- und Frucht-Guirlanden, welche von nackten,
schwebenden Knaben getragen werden; an den Ecken sind
Stier- und Menschenköpfe angebracht.

4. Hadr. Stoa. Nr. 3130. Fragment wie sonst.

5. Arch. Ges. Fragment, 1,83 lang und 0,75 hoch,
dessen Oberfläche stark gelitten hat. Das Hochrelief führt
uns in der Mitte einen nackten, schwebenden Knaben vor
Augen, welcher Blumen- und Frucht-Guirlanden hält; auf

den beiden Seiten sind Gorgonenköpfe mit kleinen Flügeln,
an den Ecken Thierköpfe angebracht. Gefunden wurde dieses Fragment an der Agora.

6. Arch. Ges. Fragment, 1 Meter lang und 0,80 hoch '
In der Mitte sehen wir zwei nackte Knaben sich umarmen;
auf beiden Seiten Panther. Die Oberfläche ist stark beschädigt und deshalb etwas undeutlich. Gefunden wurde es an
der Agora.

7. Arch. Ges. Fragment, 1 Meter lang. In der Mitte
fällt uns ein Vogel in die Augen, welcher aus Blumen empor-
fliegt; auf beiden Seiten sind Blumen- und Frucht-Guirlanden angebracht. Die Oberfläche hat stark gelitten; Fundort
derselbe wie oben.

Zu den mythologischen Darstellungen auf Grabsteinen
müssen wir endlich auch das Grabrelief aus Ägina (nicht
wie Gerhard, Orpheus und Orphiker, p. 90. sagt, Sarkophag-
relief; denn es ist in Form einer oben abgerundeten Stele
mit durchbrochener Arbeit auf kleiner, viereckiger Basis)
aus sehr später Zeit rechnen (*Bull. dell' Inst.* 1860.), welches sich jetzt in einem Privathause befindet. Dargestellt
darauf ist Orpheus, umgeben von allerlei Thieren.

Diesem ähnlich an Arbeit und Zeit der Entstehung sind
zwei andere, wahrscheinlich auch Grabsteine, in der Ha-
drianstoa.

a. Bellerophon auf geflügeltem Pegasus; dahinter ein
Baum. Das Relief ist von sehr roher Arbeit und unten abgebrochen.

b. Ein fratzenhafter Löwe auf kleiner, viereckiger Basis.

Unter die mythologischen Darstellungen müssen schlech-
terdings auch die häufig zu dem Schmucke von Grabsteinen
verwendeten Darstellungen von Sirenen, Sphinxen und
Harpyien gezählt werden.

Dass Sirenen zum Schmucke von Grabsteinen im Alterthume häufig gebraucht wurden,. ersehen wir aus dem Umstande, dass sowohl das Grab des Sophokles als auch das des Isokrates nach der Angabe alter Schriftsteller damit geschmückt war, sowie auch die Pyra des Hephästion. Es ist uns auch eine Anzahl von Epigrammen erhalten, welche Sirenen anführen (Friedländer, p. 33 ff., Stephani, *Tit. graeci*, III. p. 1 ff.). Wir finden sie auf Grabsteinen meistens dargestellt mit weiblichem Leibe, langen Flügeln und Vogelklauen (Müller, Hndb., §. 393. p. 4.). Nach Einigen bedeuten sie die forttrauernde Klage (Nitzsch, zu der Odyssee, XII. p. 45.). Stackelberg und auch Friedländer nennen sie Musen der Klage und Sterbegesänge. Stackelberg führt unter anderen Beispielen von Sirenen auf attischen Grabsteinen ein an einem Privathause in Athen eingemauertes Relief an, worauf eine Sirene dargestellt ist, die zu der Leier singt, zwischen zwei Klageweibern. Dass sie auch oft als Schmuck, ohne sepulcrale Bedeutung, gefunden werden, beweisen uns manche erhaltene Denkmäler: so führen z. B. Guhl und Koner, Leben der alten Griechen, Fig. 227[b], einen aus Ithaka stammenden Ohrring an, worauf eine die Doppelflöte blasende Sirene dargestellt ist, eine Darstellung, welche jedoch höchst wahrscheinlich von sepulcralen Darstellungen hergenommen ist. In früherer Zeit wollte man sie als Andeutung der Süssigkeit der Rede des Verstorbenen erklären (so z. B. der Biograph des Sophokles, Philostratos). Auf hier gefundenen Grabsteinen kommen sie auch oft vor als die Doppelflöte blasend. Wieseler, D. a. Kunst, II. Tf. LIX., führt ein Monument an, wo eine Sirene dargestellt ist mit einer Fackel, wahrscheinlich Andeutung des Anzündens des Scheiterhaufens. Folgende Ueberreste davon habe ich mir in den öffentlichen Sammlungen Athens notirt.

    1. Arch. Ges. Fragment, wahrscheinlich eines Hoch-

reliefs. Dargestellt ist eine Sirene, deren Kopf, Hände und Füsse abgebrochen sind. Die Beine sind mit Federn bedeckt; die langen Flügel sind abgebrochen; in der linken Hand findet man Spuren von einer Leier. Das Ganze ist 0,53 hoch und fleissig gearbeitet; Fundort: Athen.

2. Akrop. Nr. 2150. Obertheil einer Grabstele. Sirene wie gewöhnlich, mit langen Flügeln (Schöll Arch. Mitth., p. 100. Nr. 124.).

3. Hadr. Stoa. Nr. 3360. Unten Fragment einer auf einem Relief dargestellten Grabvase; oben Sirene mit langen Flügeln. Abgebildet Stackelberg, Gräber, Titelblatt und Conze, *Philologus*, 1861. Tf. I. 1., Schöll, Arch. Mitth., p. 100. Nr. 123.

4. Sirene mit langen Flügeln auf dem Giebel einer unten abgebrochenen Stele, eingemauert an einem kleinen, zerstörten Hause westlich von der Stadt Athen, im Ölwalde, 0,30 hoch. Die Inschrift ist unleserlich. Jetzt gehört die Stele zu der Sammlung der archäologischen Gesellschaft.

5. Sirene, rückwärts an einen viereckigen Pfeiler gelehnt mit Stirnkrone, Flügeln und Vogelklauen (ob sepulcral?). Sie setzt ihre Klauen auf einen menschlichen Kopf. Das Ganze ist 0,70 hoch und ziemlich fleissig gearbeitet.

6. Hadr. Stoa. Obertheil einer Grabstele: in der Mitte sehen wir eine Sirene mit langen Flügeln, an den beiden Akroterien Sphingen. Unten lesen wir die Worte:

$$Καλλίας\ Φιλεταίρου\ Φαλ... εύς.$$

Nach Ross, Demen Nr. 180., ist das *Φαληρεύς* gut erhalten. Rangabé, II. Nr. 1643. Abgeb. Conze, *Philologus*, 1861. Tf. 1. Nr. 2. —

Die Sphinx, das Thier, welches uns das Unklare des Räthsels vergegenwärtigt, passt wie kein anderes zu dem Schmucke von Grabsteinen, vorzüglich für die spätere Zeit, als die klare Vorstellung von dem Leben nach dem Tode zu

wanken und Unklarheit und Zweifel in den Gemüthern zu
herrschen anfing. Dass die Sphinx und besonders der My-
thus von Ödipus eine der gewöhnlichsten Darstellungen als
Schmuck von Grabsteinen war, beweisen die in den ver-
schiedenen Museen Europa's erhaltenen Darstellungen dieses
Mythus, besonders auf Sarkophagen und Todtenlampen,
indem zugleich durch den Mythus von der thebanischen
Sphinx das plötzliche Hinwegraffen der Menschen durch
Krankheiten symbolisch bezeichnet wird. Auch hier in
Athen finden wir auf dem Sarkophage des Gartens Sutzos
Ödipus und die Sphinx dargestellt, sowie auf einem Sarko-
phage des Hauses Spiro Mylios eine Sphinx, welche in ihren
Vordertatzen den Kopf eines Schafes hält, was wahrschein-
lich dieselbe symbolische Bedeutung hat. Ausserdem habe
ich mir noch folgende Beispiele notirt:

1. Thes. Nr. 606. Fragment. Auf der Basis ist eine
liegende Sphinx dargestellt, deren Kopf abgebrochen. Es
ist zweifelhaft, ob es sepulcralen Charakters ist. Abgebildet
in der *Expédit. de la Morée*, V. III. pl. 89. Fig. 2., Schöll,
Arch. Mitth., p. 100. Nr. 120.

2. Akr. Nr. 2167. Fragment. Eine Sphinx mit weiblichem Kopfe und grossen Flügeln.

3. Hadr. Stoa. Nr. 3328. Kleine Marmorplatte mit
Relief, welches eine Sphinx mit Modius darstellt. Abgeb.
Schöll, Arch. Mitth., Taf. 6, 2. Reihe, vgl. p. 100. Nr. 121.

4. In dem Jahre 1860 ist auf der Akropolis, östlich von
dem Erechtheion ein fast ganz ähnliches Relief wie das obige
gefunden worden: eine Sphinx mit Modius. —

Denselben Sinn, das plötzliche Hinwegraffen, müssen
wir auch den auf Grabsteinen vorkommenden Darstellungen
von Harpyien beilegen.

Thes. Nr. 330. Harpyie, unvollendet, noch mit den sogenannten *puntelli* zur Ausarbeitung für den Künstler. Auf vier-

Pervanoglu, Grabsteine.   6

eckiger Basis sehen wir eine freistehende, weibliche Figur, deren Füsse und Hände' den Klauen eines Raubvogels gleichen, und welche sich an eine Vase anklammert. Das Haar ist in der Art des tragischen ὄγκος gestaltet, darüber liegt ein Fell. Die Figur ist ausserdem noch mit grossen Flügeln versehen. Der Ausdruck des Gesichtes ist schmerzlich. Das Ganze ist 0,90 hoch und wurde 1830 in Delos gefunden. Abgeb. in *Ephem.* Nr. 759., auch bei Lebas, *Voyage archéol.* und sonst. — Schöll, Arch. Mitth., p. 100. Nr. 122. u. p. 111. nennt sie eine Flügelsphinx. Eine passende Darstellung ist, nach meiner Ansicht, eine Harpyie, welche eine Grabvase in ihren Klauen hält.

Dass übrigens Harpyien nicht selten zu dem Schmucke von Grabsteinen gebraucht wurden, beweist das in' Lykien gefundene berühmte Harpyien-Denkmal.

Ferner sei unter den sonstigen Thieren die S ch l a n g e angeführt, welche zwar oft als Hausthier aufzufassen ist, so z. B. bei dem Familienmahle, manchmal aber auch die Heroisirung des Verstorbenen andeutet; so wenn sie sich auf einen Baum hinaufwindet und sonst.

Als solche müssen wir auch die Schlange auffassen, welche wir meistens einzeln in Relief auf kleinen Antenpfeilern dargestellt finden. Als solche Steine müssen wir die Grabsteine ohne Inschrift auffassen, die aber nicht zu dem Schmucke von Gräbern dienen, sondern eher zu Grenzsteinen zur Bezeichnung von grösseren Grabanlagen[1]). Folgende habe ich mir notirt:

---

1) Hier seien auch angeführt die uns erhaltenen kleinen Stelen, welche sowohl fragmentirt, als auch manchmal gut erhalten, durch deutliche' Inschriften als Grenzsteine grösserer Grabanlagen bezeichnet werden: a. viereckige, kleine Platte, gefunden neben dem Thurme des 'Andronikos Kyrrhestes, wahrscheinlich aber von irgend einem anderen Orte dorthin verschleppt. Darauf die Inschrift aus später

1. Hadr. Stoa. Rohe, kleine Stele, worauf eine Schlange sich emporstreckt, welche die ganze Fläche einnimmt.

2. 3. Arch. Ges. Zwei ähnliche Stelen, die eine mit Giebel, 0,37 hoch. Darauf ist in roher Arbeit eine Schlange dargestellt; die andere ist oben abgebrochen und zeigt neben der Schlange eine kleine, weibliche Figur. Sie stammt aus dem Peiräeus.

4. Akrop., gef. 1860 südlich von dem Erechtheion, von ähnlicher, roher Arbeit. Dargestellt ist eine Schlange allein.

Endlich sei auch hier eine Grabstele angeführt, worauf wir in Flachrelief einen Löwen dargestellt finden als Anspielung auf den Namen des Verstorbenen (abgeb. *Ephem.* Nr. 394., auch bei Stephani, *Tit. graec.*, III. p. 23. Nr. 6. Tf. I., welcher auch p. 15 ff. andere Beispiele von dieser Sitte anführt, Rangabé, *Ant. hell.*, II. Nr. 1985.). Es ist eine in Hadr. Stoa unter Nr. 3342 aufbewahrte, unten fragmentirte Stele, welche nach oben mit Anthemion geschmückt war, jetzt abgebrochen. Unten sehen wir zwei Rosetten. Das Ganze ist 0,49 hoch und 0,38 breit und wurde 1826 in Attika gefunden. Auf vertieftem Felde finden wir in Flachrelief einen Löwen dargestellt. Darauf die Inschrift:

Λέων Σινωπεύς.

Die auf Grabsteinen sonst vorkommenden Thiere müssen wir entschieden als Hausthiere erklären. So haben wir schon oben Hunde sowohl einzelnen stehenden Figuren beigegeben, als auch sonst sehr häufig dargestellt gesehen,

---

Zeit: ὄρος μνήματος (wie ὄρος ὁδοῦ, ὄρος ἀγορᾶς u. s. w.) *Ephem.* Nr. 267., Rangabé, II. Nr. 891ᶜ.

b. Hadr. Stoa. Kleine, oben fragmentirte Platte, worauf ὄρος | σήματος, aus guter Zeit, gefunden westlich neben dem königl. Palais (*Ephem.* Nr. 3270.).

c. Akropolis. Kleine Stele, worauf ὄρος | ϑηκῶν, aus guter Zeit, gefunden 1836 westlich von dem Parthenon (*Ephem.* Nr. 1920. Rangabé, II. Nr. 2345.).

6*

besonders häufig bei Darstellungen des Familienmahles.
Auch das Pferd als Hausthier und Lieblingsthier des Verstorbenen finden wir auf Grabsteinen oft dargestellt, besonders bei dem Familienmahle. Man hat zwar diesem Thiere
allerlei symbolischen Sinn beilegen wollen, so z. B. Rink
und Müller, Hndb. §. 428. Nr. 1., welche darin eine Andeutung des Todes als Reise erkennen; ebenso auch R. Rochette und Lebas. Gerhard stimmt zwar dieser Ansicht bei,
will aber zugleich in der Darstellung des Pferdes den Stand
des Verstorbenen angedeutet erkennen. Dieser letzten Ansicht tritt auch Welcker, Alt. Denkm., II. p. 262 ff. bei,
indem er besonders bei Darstellung des täglichen Mahles das
Pferd als Andeutung des ritterlichen Standes des Verstorbenen oder auch von dessen Wohlstand auffasst. Letronne und
Friedländer bekämpfen aber mit Glück diese Ansichten.
Auch die Schlange, obwohl sie das vieldeutigste Thier ist,
müssen wir auf solchen Darstellungen besonders als Hausthier auffassen, können ihr aber nichts desto weniger auf
manchen Darstellungen einen symbolischen Sinn nicht ab-
sprechen. Bekannt ist die Sitte der Alten, Schlangen als
Hausthiere in ihren Häusern zu halten; deshalb wird man
sich nicht wundern, die Schlange besonders bei dem Familienmahle als Hausthier dargestellt zu finden (Welcker,
Alt. Denkm., II. p. 266.). Die Darstellungen von Schlangen jedoch, welche sich auf Bäume hinaufwinden, und dergleichen müssen wir als Andeutung des Todes selbst, und
der Heroisirung des Verstorbenen erkennen (Welcker, Bonner Kunstmuseum, p. 122. Note 155 ff.). —
    Überblicken wir jetzt zu allerletzt die verschiedenen
Darstellungen, welche wir auf den verschiedenen Grabsteinen gefunden haben, so können wir nicht umhin, als
Hauptgedanken derselben die verschiedenen Handlungen
des täglichen Lebens der Griechen zu erkennen, indem diese

sowohl durch die Sitte, kleinere Gegenstände des täglichen
Gebrauches dem Todten mit in das Grab zu geben, als auch
durch den äusseren Schmuck des Grabes selbst, so zu sagen,
eine Fortsetzung des Lebens symbolisch andeuten wollten.
Daraus erklärt es sich, warum die alten Griechen besonders
solche Darstellungen zu dem Schmucke ihrer Grabsteine
wählten, auf welchen der Verstorbene seinen Freunden und
Verwandten so vor Augen trat, wie sie ihn während seines
Lebens täglich zu sehen gewohnt waren. Und zwar finden
wir in der allerältesten Zeit die Grabsteine einfach geschmückt
mit der Figur des Verstorbenen, welcher, dargestellt in der
Kleidung seiner täglichen Beschäftigung, deutlich erkenn-
bar war; leider haben sich uns aber aus dieser ältesten Zeit
nur Reste erhalten, worauf Krieger dargestellt sind; wir
müssen aber mit vollem Rechte für diese Zeit auch die Bezeichnung sonstigen Gewerbes bei den Darstellungen der
Verstorbenen voraussetzen, indem in späterer Zeit dieses
durch die beigegebenen Gegenstände veranschaulicht wird.
So erfahren wir schon aus Homer, dass auf Gräbern von
Seefahrern Ruder angebracht wurden, und finden zugleich
auf uns erhaltenen Resten Bücherrollen in den Händen von
Verstorbenen, Cymbeln in der Hand einer Priesterin der
Göttermutter, Cisten und Arbeitskörbe als Gegenstände des
täglichen Gebrauches den Frauen beigegeben, eine Leier
auf zwei Grabsteinen (Thes. Nr. 353., Akr. Nr. 2088.),
Herme, Strigilis und Ölfläschchen zur Bezeichnung der
gymnastischen Übungen, Wägelchen als Spielzeug, Kindern
beigegeben, Lorbeerkranz (Thes. Nr. 58.), einen Pflug auf
dem Giebel einer Grabsäule, Spinnrocken auf der Grabsäule
eines Mädchens, chirurgische Instrumente in der Hand eines
Pferdearztes[1]), Sistrum und Wassergefäss zur Bezeichnung

---

1) Nach der Angabe des Herrn Professors der Chemie an der hiesigen

des Isisdienstes, eine Flöte endlich auf einem Grabreliefe in
Sparta (Conze und Michaelis Reise in *Annali*, 1861. p. 37.).
Als eine weitere Fortsetzung desselben Gedankens,
d. h. der Darstellung des Verstorbenen allein, müssen wir
ferner solche Darstellungen erkennen, auf welchen wir den
Todten begleitet sehen entweder von einer kleinen, dienenden Figur oder auch von seinem Lieblingsthiere, vorzüglich
Lieblingshunde. Die letztere Darstellung finden wir schon
in sehr alter Zeit in Gebrauch, indem sich ein Beispiel davon in dem bei Orchomenos gefundenen Grabsteine uns erhalten hat; wenn man aber aus den uns erhaltenen Resten
dieser beiden Darstellungen einen Schluss ziehen wollte, so
würde man annehmen müssen, dass sie besonders in ziemlich später Zeit am meisten im Gebrauche waren und zwar
wahrscheinlich meistens bei der ärmeren Bevölkerung,
da die erhaltenen Reste davon meistens klein und unverziert sind.

Die Grabsteine der Blüthezeit griechischer Kunst sind
meistens mit Darstellungen des Abschiedes und der Schmückung der Frau verziert. Sie zeichnen sich besonders durch
ihre Grösse und Pracht aus, sowie durch ihre schönen For-
man, in welchen wir gewöhnlich das Haus, die Behausung
des Todten, symbolisch vergegenwärtigt finden. Man erkennt
deutlich hieraus, dass, obwohl, wie man anzunehmen pflegt,
gewöhnlich nur untergeordnete Künstler solche Grabsteine
anfertigten, doch zu dieser Zeit die Kunst auf einer solchen
Stufe ihrer Entwickelung angelangt war, dass auch diese,
verhältnissmässig untergeordneten Producte derselben durch
die Schönheit in den Formen der dargestellten Figuren und

Universität, Landerer (*Ephem.*, p.143.) fand man in den dreissiger Jahren
bei dem Graben der Fundamente am Fusse des Anchesmos (wahrscheinlich des heut zu Tage Lykabettos genannten) in einem Grabe verschiedene chirurgische Instrumente, welche stark oxydirt waren.

besonders durch die Correktheit und Natürlichkeit der Fal-
ten in der Gewandung und sonst im höchsten Grade unsere
Bewunderung erregen, und uns noch schmerzlicher den Ver-
lust der Meisterwerke der Plastik in dieser Zeit empfinden
lassen. Die dargestellten Figuren sind meistens bedeutend
unter der natürlichen Grösse; Beispiele von Figuren in Lebensgrösse sind nur einzeln vorhanden. Ueberflüssig wäre es,
beweisen zu wollen, dass, wenn nicht alle, so doch die meisten
dieser Grabsteine bemalt waren und zwar besonders an der Gewandung und an der Hintergrunde, da sich die Beispiele mit
Spuren von Farben täglich mehren. Ausser auf den Grabsteinen der Blüthezeit der Kunst finden wir die Darstellung
des letzten Abschiedes bis auf eine sehr späte Zeit herab im
allgemeinen Gebrauche, während die Darstellung der Schmückung der Frau in späterer Zeit immer seltener wird, wofür
wir dann besonders das Familienmahl und die im Meere
Verunglückten dargestellt sehen. Diese beiden letzteren
Darstellungen lassen sich aber nicht höher ansetzen, als in
die Zeit Hadrian's; ja einzelne Beispiele davon kann man
sogar mit voller Sicherheit wegen der Nachlässigkeit der
Arbeit, des Unkünstlerischen und, so zu sagen, Rohen in
ihrer Auffassung, in das vierte Jahrhundert nach Christus
und vielleicht noch tiefer versetzen. Aus römischer Zeit
stammen auch alle Grabsteine, auf welchen wir Darstellungen aus mythologischen Kreisen entlehnt finden. Schon
oben haben wir gesehen, dass solche Darstellungen dem
Charakter der Griechen nicht angemessen sind, und dass
man zu einer solchen Sitte erst in einer Zeit gelangen konnte,
in welcher sowohl die Freiheit und Grösse des Gedankens,
als auch besonders die Ehrfurcht vor dem Göttlichen schon
bedeutend gesunken war, in einer Zeit, in der man die
Grösse und Schönheit einer plastischen Darstellung nicht in
ihrer Klarheit und Einfachheit suchte, sondern sie durch

mystische, dunkle, symbolische Hinzuthaten immer unklarer
und unverständlicher zu machen trachtete: daher wir solche
Darstellungen, wenn sie auch Werke griechischer Hände
waren, doch nicht als Producte des griechischen Geistes betrachten können.

Grabinschriften.

Unendlich ist die Zahl der hier in Athen befindlichen
Grabinschriften, besonders auf den einfachen, schmucklosen
Grabsäulen. Es würde daher eine für die Grenzen dieser
Abhandlung zu umfassende Arbeit sein, alle hier erhaltenen
Grabinschriften aufzuführen, besonders, da eine genaue
Sammlung davon erst nach längerem Aufenthalte in hiesiger
Stadt zu Stande gebracht werden könnte, und nur durch ge-
naues Vergleichen aller dieser Reste für die Wissenschaft
interessante Resultate sich erzielen lassen. Für jetzt genügt
es daher, die schon in einzelnen Schriften und besonders in
der hiesigen Ἐφημερὶς ἀρχαιολογικὴ publicirten Grabinschriften zu gebrauchen, welche in der sehr fleissigen Arbeit des
Herrn Prof. Rangabé (Antiquités helléniques, besonders im
zweiten Bande) gesammelt herausgegeben sind, woraus Jeder, der sich damit beschäftigt, sich leicht einen genauen
Überblick sowohl über das Alter, als auch über die Mannichfaltigkeit derselben verschaffen kann. Herr Prof. Rangabé
hat diese seine reiche Sammlung von Grabinschriften auf
solche Weise einzutheilen gewusst, dass daraus nicht nur
für die Topographie des Landes, sondern auch für die verschiedene Bevölkerung desselben und vorzüglich für die
Formeln und das Alter der verschiedenen gebräuchlichen
Grabinschriften genaue Schlüsse leicht zu ziehen sind; da-

her diese Sammlung als Basis jeder weiteren Forschung dienen kann. —

Die ältesten uns erhaltenen Reste führen uns entweder einfach den Namen des Verstorbenen vor Augen[1]), so z. B. die Aristion-Stele: oder auch häufig das Patronymikon daneben, so eine Plinthe aus Athen mit der Inschrift:

Σωσίνη Σινέου

(Rangabé, I. Nr. 5.). Oft finden wir ausserdem den Namen des Künstlers, der das Relief der Stele verfertigt hatte, angeführt: so bei der Aristion-Stele und auf der Stele bei Orchomenos; und auf einer Basis von hymettischem Steine, gef. 1830 an der Stelle des alten Demos Kollytos lesen wir folgende Grabinschrift:

῾Ωδε φίλην ἄλοχον Μύρων ἀπέθη, | κε θανοῦσαν
Λαμπιτώ αἰδοίαν γῆς ἀπ᾽ὸ πατρῴης. | ᾿Ενδοιος ἐποίησεν.

(Ephem. Nr. 641., Rangabé, I. Nr. 22. und Brunn, Künstlergesch., I. p. 99 ff.).

Auf dieser Inschrift finden wir zugleich den Namen desjenigen angegeben, welcher das Grabmal gesetzt hat, und auch die Verwandtschaft desselben mit dem Verstorbenen, was wir auch auf anderen Grabinschriften dieser alten, und auch der späteren Zeit angegeben finden. — Oft findet man einzelne Gedanken angeführt, welche sich auf das Sterben und den Verstorbenen selbst beziehen, so z. B. eine metrische Inschrift, welche nordwestlich bei dem Sunion gefunden worden ist:

---

1) Nicht übereinstimmen kann ich mit Brunn, welcher im Bull. dell' Inst., 1859. p. 195. den auf dem Sockel der Aristion-Stele eingegrabenen Namen »᾿Αριστίονος eher auf den sonst auch bekannten Namen des Vaters des Künstlers Aristokles beziehen will. Man wird vielmehr nach Analogien diese Inschrift mit Wahrscheinlichkeit für den Namen des Verstorbenen halten müssen, indem man sich dazu das Wort σῆμα oder sonst etwas Ähnliches hinzudenken muss.

Τοὑπικλέους παιδὸς Δαμασιστράτου ἐνθάδε σῆμα
Πεισιάναξ κατέθηκε· τὸ γὰρ κλέος ἐστὶ θανόντων.
(Rangabé, II. Nr. 2488., Bursian, Arch. Epigr. Nachlese,
p. 200 ff.). Oft finden wir auf Inschriften dieser alten Zeit
selbst das Grabmal näher bézeichnet, so z. B. auf einem
Fragmente, welches bei dem Ilissos gefunden wurde:
      Ἐνιάλου θυγατρὸς Σπουδίδου κέραμος στήλη.
(Ephem. Nr. 167., Rangabé, I. Nr. 6.); sowie auch manchmal der Grabstein selbst redend eingeführt wird, so:
      Σῆμα Φρεάρχου εἰμί | Κόρη μ᾽ ἐχώσατο
(Rangabé, I. Nr. 28.). Auch der Ort, wo das Grabmal gesetzt wurde, wird angegeben:
      Ἀρχένεως τόδε σῆμα ἔστησ᾽ ἐγγὺς ὁδῷ Ἀγαθοκλῆ
(auf einem Steine, welcher eingemauert war in einem Privat
hause Athens, Ephem. Nr. 101., Rangabé, I. Nr. 7.).

Alle derartigen Grabinschriften der ältesten Zeit befinden sich meistens auf kleinen, viereckigen Platten, welche
aber oft fragmentirt sind: woraus wir mit grosser Wahrscheinlichkeit den Schluss ziehen können, dass man damals
die Grabinschrift, wie z. B. auf der Aristion- und Lyseas-
Stele auf dem Sockel des Grabsteines anbrachte. —

Die Sitte, auf den Grabstein des Verstorbenen allein
dessen Namen zu setzen, finden wir auch in der Blüthezeit
griechischer Kunst, wo er besonders auf dem Architrave der
herrlichen Stelen mit Giebel, der von Antenpfeilern getragen wird, angebracht ist; so z. B. bei dem herrlichen Relief
der Φρασίκλεια auf der Akropolis und sonst; oft auch an
den Stelen mit Anthemion und Rosetten, so z. B. Γλυκέρα
(auf der Akropolis, Rang. Nr. 1696.), Μνησιστράτη (Ephem.
Nr. 273.), Rang. Nr. 1744.), Εὐτύχις (Rang. Nr. 1721.),
Ἀρχίλλα (Rang. Nr. 1688.), Εὐθέτη (Rang. Nr. 1722), Σύ-
ριον auf einem kleinen Antenpfeiler der Arch. Ges. (Κουμανούδης ἐπιγραφαὶ ἑλληνικαὶ ἀνέκδοτοι u. s. w. Nr. 56.),

Δέξιος auf einer kleinen, viereckigen Stele der Arch. Ges. (*Κουμανούδης*, a. a. O., Nr. 55.) und sonst viele Beispiele. — Einfache Namen finden wir oft auch den dargestellten Figuren auf Grabvasen und Grabreliefs beigegeben, so z. B. *Κομαλλὶς Νεοφίδη* (Grabvase Rang. Nr. 1737.), *Γέλων Καλλίστρατος* (Grabrelief Rang. Nr. 1695.), *Διόδωρος Φίλη Προφάνης* (Grabrelief Rang. Nr. 1702.), *Εὐπόλεμος Δημήτριος* (Grabrelief auf der Akropolis Nr. 1920., Rang. Nr. 1713.) und sonst.

Viel häufiger finden wir aber dem Namen auch das Patronymikon beigegeben und zwar in allen den Fällen, wo wir auch den Namen allein gefunden haben. Manchmal finden wir auch mehrere Namen mit Patronymiken auf einer Grabsäule, was uns zu dem Schlusse führt, dass entweder mehrere Verwandte in einem und demselben Grabe beigesetzt wurden, oder dass Familiengräber mit einer einzelnen Grabsäule versehen waren. — Ebenso häufig und vielleicht noch öfter finden wir das Demotikon oder auch den Namen des Vaterlandes des Verstorbenen entweder einfach den Eigennamen oder auch den Patronymiken beigegeben. — Rangabé in seinen *Ant. hell.*, II. p. 837—885 führt uns solche Grabinschriften nach den Demen Attika's eingetheilt vor, und p. 896—916 die von Fremden, welche in Attika gestorben sind. Dass auch in dieser Zeit häufig, wie in älterer Zeit, die Verwandtschaft der einzelnen Verstorbenen angegeben ist, brauchen wir nicht wieder zu erinnern, sowie, dass oft auch das sonstige Verhältniss des Verstorbenen zu demjenigen, welcher ihm das Denkmal gesetzt hat, bezeichnet ist. So finden wir z. B. folgende Grabinschriften: *Ἀπολλόδωρος | παιδαγωγός* (Rang. Nr. 1677.), *Δημητρίᾳ τιτθῇ* (Rang. Nr. 1704.), *Πυῤῥίχη | τροφὸς χρηστή* (Rang. Nr. 1765.). Oft ist auch das Gewerbe des Verstorbenen angegeben, z. B. *ἱππιατρός* auf einer oben angeführten, mit Relief verzierten

Grabstele der Hadrian Stoa; Ἑρμαῖος Αἰγύπ|τιος ἐκ Θη-
βῶν | Ἀναφάλλου ὑφαν|τῆς (Rang. Nr. 1977.), Θράσιππος|
Θρασίππου | Ἀρτοκόπου|υἱός (Rang. Nr. 1730.) und sonst.

Was nun die Worte χαῖρε und χρηστός betrifft, welche
wir besonders auf Grabsteinen später Zeit fast immer der
Grabinschrift beigefügt finden, so treten diese erst in makedonischer Zeit, und zwar nur in einzelnen Beispielen auf,
so z. B. auf einer marmornen Stele aus der Nekropolis des
Peiräeus mit der Inschrift:

'   Ἀντικλῆς | Κλεοσθένου | Βοιώτιος χαῖρε.

(Rang. Nr. 1424.), Ἀφροδισία | χαῖρε, gefunden ebenda-
selbst (Rang. Nr. 1692.). Dieser letzte Abschiedsgruss, welchen die Überlebenden an die Verstorbenen richteten, hat
nach Stackelberg eine sinnige, tiefe Beziehung auf den Über-
gang der Seele des Verstorbenen zu einem höheren Leben.
Oft wird auch die Theilnahme des Verstorbenen, welche er
noch an den irdischen Angelegenheiten nimmt, bezeugt, indem man ihn diesem Grusse antworten lässt (vgl. Rink,
Kunstblatt, 1828. Nr. 42., Curtius, Arch. Ztg., 1845. p. 147.),
Friedländer, p. 2., Jahn, Aberglaube des bösen Blickes,
Note 123., Stephani, *Tituli* IV, p. 21., sowie auch eine Grabinschrift in Syra, Conze, *Bull. dell' Inst.*, 1859. p. 171.
Nr. 13.).

Auch das Wort χρηστός, welches erst in späterer Zeit
fast immer dem Namen des Verstorbenen beigegeben wurde,
finden wir erst in makedonischer Zeit, und zwar nur selten,
so z. B. Αἴρεσις | χρηστή auf einer kleinen, runden Grab-
säule auf der Akropolis (Rang. Nr. 1674), Θεόφραστος|
χρηστός (Rang. Nr. 1732.) und sonst.

Ausser diesen zwei Worten, welche in späterer Zeit
auch oft zusammen angewendet wurden, finden wir auch
andere dem Namen des Verstorbenen beigegeben, wie z. B.
das ἄλυπε, φιλόστοργε und Ähnliches. Endlich seien mit we-

nigen Worten diejenigen Grabinschriften angedeutet, welche
nicht einfach den Namen des Verstorbenen, das Patronymikon,
Demotikon u. s. w. anführen, sondern in längeren Inschriften sowohl metrisch als prosaisch, entweder Eigenschaften
des Verstorbenen hervorheben oder Sprüche, welche auf den
Tod selbst oder auf das Leben nach dem Tode Bezug haben,
uns vor Augen führen. Die meisten derselben sind von
Welcker, Rangabé, II, Stephani, *Tit.* III, IV, V, Bursian,
Arch. Epigr. Analekt., p. 200 ff. und sonst öfters besprochen
worden. — Ausser den Inschriften in griechischer Sprache
finden wir auch einzelne Beispiele, auf welchen neben der
griechischen Inschrift eine phönikische Übersetzung steht,
und zwar nur auf Grabsteinen von Phönikern, welche hier
in Attika gestorben sind.

Was nun zuletzt die Art und Weise betrifft, wie auf
den Grabsteinen die Inschrift angebracht wurde, so haben
wir schon oben gesehen, dass auf Überresten der ältesten
Zeit die Inschrift auf der Basis von Grabsteinen angebracht
wurde; in der Blüthezeit der Kunst finden wir die Inschrift bei den Grabsteinen mit Giebel und Antenpfeilern
auf dem Architrave und bei den Stelen, welche mit Anthemion oder Giebel ohne Säulen verziert sind, unterhalb des
Giebels oder Anthemion und oberhalb des Reliefs oder der
Rosetten; manchmal befinden sich auch die Rosetten oder
das vertiefte Feld mit Reliefdarstellungen zwischen der Inschrift; endlich sehen wir auf Resten der späten Zeit meistens
die Inschrift unterhalb des Reliefs angebracht.

Druck von Breitkopf und Härtel in Leipzig.

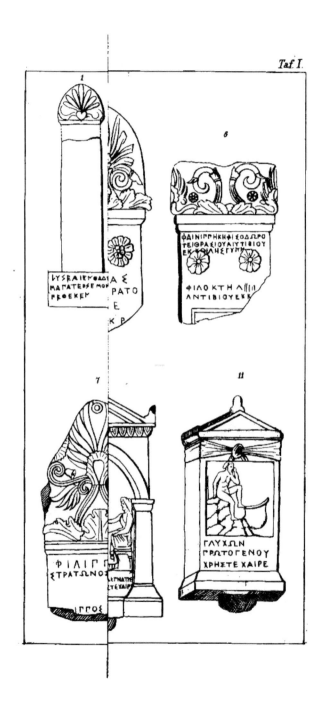

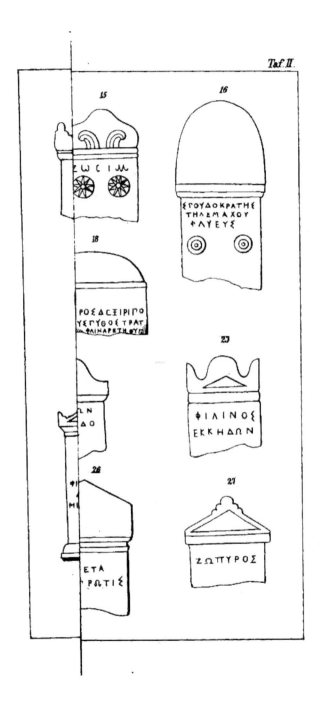

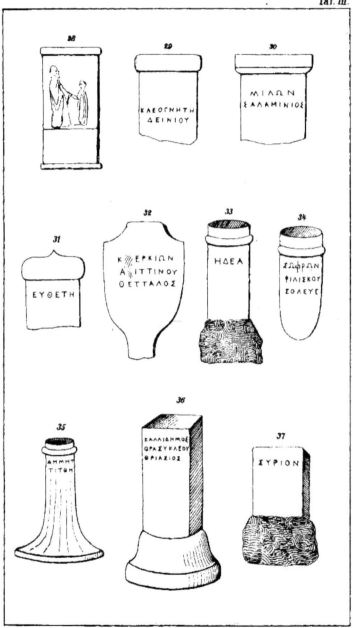

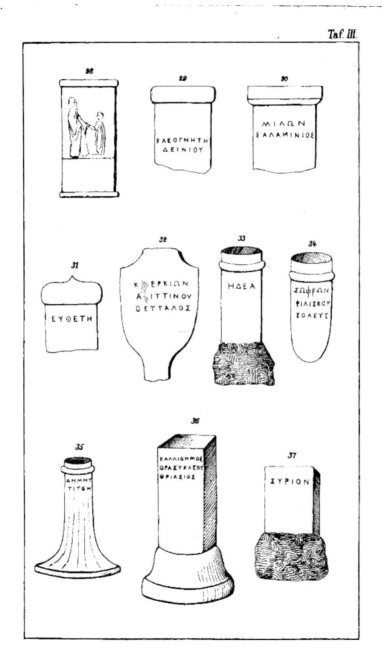